Le petit livre
réjouissant
des plus jolis
mots d'enfants

Philippe Lecaplain

Le petit livre réjouissant des plus jolis mots d'enfants

préface de
Henri Dès

Albin Michel

Préface

Écoutez Messieurs Dames
Et lisez joyeusement
Les mignons petits drames
De nos bambins charmants

Car leurs mots innocents
Tout remplis de fraicheur
Comme des mots d'enfants
Vous iront droit au cœur

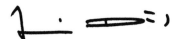

Avant-propos

Les enfants ont aussi leur mot à dire ! Car la parole des enfants est le plus beau des langages : celui du cœur et de l'innocence.

À peine savent-ils parler que, déjà, ils nous étonnent, nous attendrissent et nous font rire par le regard ingénu qu'ils posent sur la vie ; ses petits riens comme ses grands moments.

Nos bambins savent être si désarmants que, même lorsqu'ils nous fâchent, il n'est pas rare de devoir se mordre les lèvres et détourner la tête pour ne pas partir d'un éclat de rire.

Profitons de cette fraîcheur d'esprit tant qu'il en est encore temps ! Nous savons que, plus tard, nous serons censeurs de cette candeur et de cette spontanéité. Nous n'aurons de cesse de dire à nos petits qu'il faut « tourner sept fois sa langue dans sa bouche avant de parler » afin de les faire entrer dans notre monde d'adultes pétri de calculs, de contraintes, de prévenances et de faux-semblants. Le plus tard sera le mieux…

Les jolies chansons de Henri Dès ont accompagné mon enfance et ravissent aujourd'hui mes petits. « On peut pas tout dire » s'intitule l'un de ses albums, moquant justement ceux qui brident l'expression des enfants au nom des bonnes manières. Comme une revanche, ici, ils ont le droit de tout dire. En clin d'œil, quelques-unes des rimes de Henri Dès introduisent chaque chapitre.

Ce livre voudrait être une vraie parenthèse dans ce monde stressant fait de bruit et de fureur. Il voudrait aussi susciter une réflexion sur soi, ses priorités et ses valeurs.

Depuis longtemps, j'ai entendu, noté, résumé ces trésors de mots d'enfants. Journaliste à Radio France Internationale, où je présente le journal de 13-14 heures, je trouve là un moyen de raconter la vie et le monde autrement que par sa tristesse et sa violence.

Philippe Lecaplain

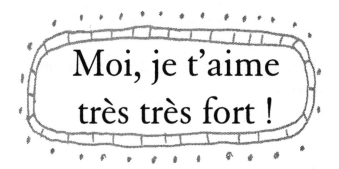

Moi, je t'aime très très fort !

« *Un p'tit baiser*
Des deux côtés
Un gros câlin
Ça coûte rien. »
Henri Dès, *Un p'tit baiser.*

De l'amour, nos petits amours
en parlent du fond du cœur. Avec candeur,
ils lui confèrent une pureté et une simplicité
dont nous sommes bien incapables
le jour du mariage venu...

PAUL

– Papa et Maman, vous êtes mes parents préférés.
Coralie, 3 ans.

– Tu sais, Maman, même si tu me fais un bisou et que j'essuie ma joue, eh ben l'amour il reste quand même !
Ana, 4 ans.

– Tu es vieille, Maman, parce que ça fait longtemps que je t'aime !
Anita, 5 ans.

– Le jour de votre mariage, Papa et Maman, qui nous gardait ?
Juan, 4 ans et demi.

— L'amour, c'est quand
on est vieux et qu'on dort
toujours dans le même lit.

Jane, 6 ans.

Mathéo, 5 ans, veut faire un beau cadeau
à sa maman pour la fête des Mères.
Le dimanche, il va chercher dans sa chambre
une grande boîte qu'il a décorée à grands
coups de crayons-feutres. Sa mère ôte
le couvercle et découvre... rien !

— Chéri, je crois que tu as oublié
de mettre mon cadeau dedans.

— Ben non, je l'ai rempli de tout
plein de bisous rien que pour toi.

– L'amour, c'est quand mon chien me lèche le visage, même quand je l'ai laissé seul toute la journée.
Marie, 4 ans.

– Maman, j'entends mon cœur qui clignote. Ça veut dire que je suis amoureux ?
Fabien, 4 ans.

Dans sa chambre, cela fait un moment que Clément, 5 ans, regarde son petit lit.
Sa maman le trouve bien perplexe et lui demande ce qui le trouble.
– Quand je vais me marier plus tard, comment on va faire pour entrer à deux dans mon lit ?

— Maman, moi je suis ton amour,
et Papa ton amoureux.
Stephen, 4 ans.

Marine rentre de l'école et se précipite vers sa mère.
— Maman, est-ce que j'ai des cœurs au-dessus de la tête ?
— Ben, non, pourquoi, ma chérie ?
— Parce que je suis amoureuse…

— J'aime pas quand mon amoureux m'embrasse sur la bouche parce qu'il a toujours le nez qui coule.
Sarah, 4 ans.

ANDRE

Il est tard. Alors que Maman prépare le dîner, Papa rentre du travail plus tôt que d'habitude. Laura est heureuse de pouvoir en profiter un peu plus que le temps du simple bisou tandis qu'elle est couchée et souvent déjà endormie. Sur le canapé, la discussion alterne avec les papouilles. Pour lui montrer combien ses absences ne sauraient entacher son amour pour sa fille, le papa lui confie :

— Si je n'étais pas marié avec Maman, je me marierais avec toi.

Un grand sourire illumine le visage de Laura avant qu'elle fronce les sourcils pour appuyer sa question :

— Alors, on aurait fait Maman ensemble ?

— Une fois sorti de la maternelle, je me trouverai une épouse.
Jordy, 5 ans.

Au restaurant, un couple affiche sa complicité. Il lui susurre quelques mots doux à l'oreille, elle le regarde par en dessous avec un sourire rayonnant. Les mains se touchent. Marc, 4 ans, n'a rien perdu de la scène. Quand le couple en vient à s'embrasser, il demande à son père :
— Pourquoi il chuchote dans la bouche de la madame ?

— Au restaurant, les amoureux se regardent tellement que leurs plats deviennent froids. Les autres personnes font plus attention et mangent chaud.
Jaime, 7 ans.

— L'amour, c'est quand quelqu'un vous fait du mal et que vous êtes très fâché mais vous ne criez pas pour ne pas le faire pleurer.
Suzon, 5 ans.

NATHAN

— Si les Papas font un bisou aux Mamans juste avant le début du film à la télé, c'est pour leur faire oublier qu'ils n'aiment pas sortir la poubelle.
Tommy, 6 ans.

— Si tomber amoureux c'est comme apprendre à lire, ça ne m'intéresse pas. Cela prend trop de temps.
Léo, 7 ans.

— Quand quelqu'un nous aime, la manière de dire notre nom est différente. On sait que notre nom est en sécurité dans sa bouche.

Alain, 4 ans.

— Je ne suis pas pressée de tomber amoureuse, je trouve que le CE2 est déjà assez difficile comme ça.

Adriana, 8 ans.

Iris dit à sa maman qu'elle est amoureuse d'Anthonin.

— Et comment le sais-tu ?

— Eh ben, on se tient par la main et moi j'ai du vent dans les cheveux.

– À l'école, j'ai deux amoureux, comme ça, s'il y en a un qui est malade il en reste toujours un… !
Cléa, 5 ans.

– C'est mieux d'être célibataire pour les filles. Mais les garçons ont besoin de quelqu'un pour nettoyer.
Anita, 9 ans.

– L'amour, c'est dire tout le temps « je t'aime » car sinon les gens oublient vite.
Jessica, 8 ans.

NOEMIE

— Maman, je t'aime grand comme mon doudou.

Alexia, 3 ans.

Est-ce pour mieux obtenir une faveur ?
Toujours est-il que c'est l'heure des compliments de la part de Maxime, 5 ans.

— Papa, tu es beau.

— Merci, mon fils.

— Papa, tu es un génie.

— Merci. Pense un peu aussi à ta maman.

— Maman, c'est une génisse !

— Bengt, comment fais-tu pour qu'une petite fille soit amoureuse de toi ?

— Facile, je lui dis que mon papa est directeur d'un magasin de bonbons !

— L'amour, c'est quand vous sortez manger et que vous donnez à quelqu'un beaucoup de vos frites sans demander que l'autre vous donne des siennes.

Jean, 6 ans.

À 8 ans, Renan est, il est vrai, assez beau garçon et les fillettes se pâment facilement. Ce qui l'autorise à donner cette leçon quand, le dimanche, lors du repas familial, il est question d'amour.

— L'amour vous trouvera même si vous vous cachez.

— J'ai essayé de l'éviter depuis l'âge de cinq ans mais, chaque fois, les filles continuent de me trouver.

— L'amour ? Cela me donne mal à la tête rien que d'y penser. Je suis juste un enfant. Je n'ai pas besoin de ce genre de problèmes.
William, 7 ans.

— Papa et Maman, je vous aime plus que toutes les étoiles et que tous mes jouets.
P'tit Ludo, 4 ans.

— L'amour, c'est quand la fille se met du parfum et le garçon met de l'après-rasage de son papa et qu'ils sortent ensemble pour se sentir.
Junior, 5 ans.

— Durant le spectacle de fin d'année à l'école, j'étais sur l'estrade et j'avais peur quand tout le monde m'écoutait réciter. J'ai regardé mon papa. Il m'a fait coucou de la main avec un grand sourire. Il était le seul à faire ça et je n'ai plus eu peur. C'est ça l'amour.

Mélissa, 8 ans.

ABDALRAHMAN

— Je suis d'accord avec l'amour tant que cela n'arrive pas pendant les *Simpson* à la télévision.

Marjorie, 5 ans.

— Pour savoir comment il faut embrasser son amoureuse, il suffit de regarder les séries à la télé toute la journée.

Brandon, 7 ans.

— Papounet, je t'aime jusqu'au soleil, aller-retour.

Latifa, 4 ans.

Constance, 5 ans, parle de son amoureux avec sa maman.

— Tu sais, il m'aime vraiment.

— Ah, bon, comment le sais-tu ?

— Il me sourit tout le temps jusqu'aux yeux.

— L'amour, ça a quelque chose à voir avec être transpercé par une flèche, mais après, il paraît que cela fait beaucoup moins mal.

Mike, 5 ans et demi.

— L'amour, c'est quand Maman fait du café pour Papa et qu'elle le goûte avant d'en donner à Papa pour être sûre qu'il est bon.

Olive, 5 ans.

— L'amour, c'est quand Papa donne à Maman le meilleur morceau de poulet !

Hélène, 5 ans.

— Quand tu embrasses quelqu'un, il faut alors se marier et avoir des enfants avec lui. C'est comme ça.

Henri, 7 ans.

— Faire l'amour, c'est quand on s'embrasse sur la bouche.

Louis, 5 ans.

MAXIME R

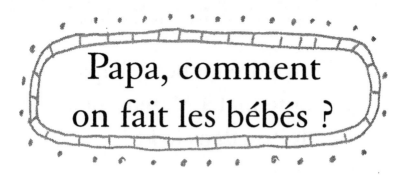

Papa, comment on fait les bébés ?

« D'abord il y a
La p'tite graine à papa
Qui va dans maman
Gentiment.
Petit à petit
L'oiseau fait son nid
Et neuf mois après
Tu es prêt. »
Henri Dès, *Bébé d'amour.*

La famille va s'agrandir. Le bébé s'annonce
et c'est déjà une source de mystère,
de philosophie de vie souvent
et de jalousie parfois.

– Pour faire un bébé, Papa doit faire mal à Maman pour qu'elle crie dans le lit !

Inès, 5 ans.

– Si le ventre de Maman est gros, c'est parce que dedans, il y a le bébé et la poussette.

Anaïs, 4 ans.

– Papa, il t'a fait un câlin pour faire ma sœur… et est-ce qu'il a aussi fait un câlin à Tatie pour mon cousin ?

Julien, 4 ans.

Céline, 3 ans, demande à sa mère :
— Comment je suis née ?
— Eh bien, papa a semé une graine et puis le bébé que tu étais a poussé.
— Ah oui, les graines… Et il y avait une photo sur le paquet pour savoir à qui je ressemblerais ?

— Maman, quand je suis né, comment tu savais que je m'appelais Victor ?
Totor, 5 ans et demi.

Marine parle depuis peu. L'une des premières questions qu'elle pose est pour sa maman.
— Si j'étais un garçon, est-ce que j'aurais été dans le ventre de Papa ?

Léa va avoir une petite sœur. Sa maman lui demande de ne rien dire pour le moment à ses grands-parents. Un peu plus tard, Léa dit à sa mamie :

— Tu sais, j'ai un secret à te dire mais je ne peux pas parler pour l'instant parce que c'est un secret.

— Ah bon, et tu me le diras quand ce secret ?

— Quand il sera né !

Paul a 5 ans et son petit frère Simon, 18 mois. Ils s'adorent. Papa et Maman, qui songent à agrandir la famille, se renseignent :

— Paul, tu aimerais avoir un autre petit frère ?

— Oh non, on garde Simon, s'il te plaît !

La naissance est pour les jours prochains. Papa s'est fait une liste de tout ce qu'il conviendra de faire et de tous ceux qu'il faudra prévenir. La préparation passe aussi par l'information de l'aîné.

— Jordan, dès que ta petite sœur sera née, on ira à l'hôpital pour la voir.

— Comment tu sais que le bébé sera malade ?

— Papa, quand tu étais petit et que Maman aussi, c'étaient qui mes parents ?
Anaïs, 5 ans.

ANTOINE

— Grand-Père, est-ce que c'est vrai qu'on fait les bébés dans les lits *cigognes* ?
Lucie, 5 ans.

À 4 ans, Yacine se pose bien des questions.
— Où j'étais quand je n'étais pas né ?
— Tu étais dans mon ventre, lui répond sa maman.
— Et où j'étais avant d'être dans ton ventre ?
— Eh bien, tu étais dans ma tête.
— Et tu pouvais réfléchir quand même ?

Sa tante, enceinte, demande à Sam, 3 ans :
— Tu préférerais une cousine ou un cousin ?
Le garçon réfléchit quelques instants…
— Des frères, j'en ai. Les filles, je connais. Fais-moi un p'tit chiot, s'il te plaît !

Manon, 4 ans, est déjà une vraie petite mère. Poupées, poussette, berceau encombrent sa chambre. Aussi, quand sa maman lui annonce qu'elle porte un bébé, elle prend très au sérieux son rôle de « deuxième maman ». Elle s'inquiète de savoir quand le bébé va arriver. Sa maman lui explique qu'il faut attendre que le ventre grossisse car le bébé doit encore grandir. Contrariée, Manon répond :

— Mais si ton ventre grossit encore, le bébé va déchirer ta robe.

Plus tard, il lui est dit que le bébé entend tout et aime bien la musique. Manon court vers sa chambre et en ressort avec son lecteur MP3.

— T'as qu'à lui donner, lui dit-elle avec générosité.

Un jour, c'est le papa qui donne des explications.

— Le bébé qui est dans le ventre de ta maman baigne dans de l'eau.

— Ah bon, lui, il sait déjà nager ? Et, est-ce qu'il a un tuba pour respirer ?

— Maman, j'ai bien compris que
Papa t'avait donné sa petite graine.
Mais comment tu as fait ? Tu l'as
croquée ou tu l'as avalée tout rond ?
Gwladys, 6 ans.

Chérifa tient très à cœur son rôle d'aînée.
Elle s'est mis en tête d'expliquer à son petit
frère Nasser comment on fait les bébés.
— C'est très simple, Maman, elle avait
ton œuf et Papa lui a donné un
supermatozoïde.

CONSTANCE

Pauline demande comment on fait les bébés.
Plutôt que d'user des habituelles périphrases,
la mère explique à la gamine que le papa
plante sa petite graine pour qu'elle pousse
dans le ventre de la maman. Après un long
silence, Flo questionne :

— Et les petits chats, comment ils font ?

— C'est exactement pareil !

— Mais, alors, pourquoi les bébés que
vient d'avoir notre chatte Zabou ne
ressemblent pas à Papa ?

Armelle, 5 ans, regarde une photo d'elle prise
à la maternité. Elle remarque le bracelet de
naissance à son poignet :

— Tiens, bébé, j'avais déjà une montre ?
J'étais pressée de sortir ?

— Quand je serai grand, je serai comme ma maman, mais sans deux bosses au-dessus du ventre.

Arnaud, 5 ans.

Alexia, 4 ans, raconte que son copain Arthur va avoir une petite sœur.

— Tu sais comment elle va s'appeler ?

— Non, ils n'ont pas encore donné de nom à la graine.

La maman de Lorène, 3 ans, a déjà un gros ventre.

— Tu vas avoir deux frères parce que j'attends des jumeaux. Comment veux-tu qu'on les appelle ?

Lorène se met à frapper dans les mains et crie :

— LES ENFAAANTS, à table !

Jean et Clémence se lavent tout seuls. Papa s'apprête à pousser la porte de la salle de bains pour aller s'y raser quand il entend une conversation des plus sérieuses. Il écoute attentivement.

— Maman a de gros seins, dit Jean.

— Oui, c'est parce qu'il y a du lait dedans, répond Clémence.

— Et Papa, il a des petits seins, ajoute Jean.

— Oui, mais il n'y a pas de lait dedans, explique Clémence. Les petits seins des papas, c'est pour faire joli.

Fanfan, 3 ans, s'interroge :

– Jonathan a dit que quand j'étais bébé, mes os étaient tout petits. Est-ce que c'étaient des arêtes ?

Maman est enceinte de 8 mois et le bébé est impatient de sortir si l'on en croit par son agitation. Coups de pied et de main déforment le ventre. Raphaël, 3 ans et demi, est stupéfait. Quand on lui explique que c'est un os qui pousse la peau du ventre, il s'exclame d'un air dégoûté :

– Mais c'est pas un frère, c'est Alien !

MAXIMILIEN

La maman d'Estelle attend un bébé. Dans les bras de son Papa, la petite fille assiste à l'échographie et ne perd rien du commentaire du médecin :

— Voici la tête, ses jambes, là, un bras, etc.

De retour à la maison, Estelle se précipite dans sa chambre pour en revenir avec son doudou qu'elle dépose sur le ventre de sa mère.

— Tiens, Maman, c'est pour le bébé parce que, tu sais, j'ai bien regardé sur la télé du docteur, il n'a rien pour s'amuser là-dedans !

En rentrant de l'école, Rachel explique que sa maîtresse a manqué la classe car elle avait un rendez-vous chez le médecin pour « passer une géographie de son bébé ».

– Maman, comment j'étais quand je n'existais pas ?

Manou, 4 ans.

Mahjouba attend une petite fille. Chakib est impatient d'accueillir Wiame. Chez le gynécologue, où l'examen dure car le fœtus est difficile à observer, le garçon est de plus en plus inquiet. N'y tenant plus, il s'approche du médecin et lui lance :

– Bon, maintenant, ça suffit. Si tu continues à appuyer comme ça sur le ventre de ma maman, tu vas casser la coquille !

La grossesse touche à sa fin. Thomas, 3 ans, suit cela au plus près. Plus que quelques jours et sa petite sœur doit sortir du ventre de sa maman. À la maison, il est question de terme et de rendez-vous avec l'obstétricien quand il demande :

— Et c'est le docteur qui a la clef du nombril ?

inès

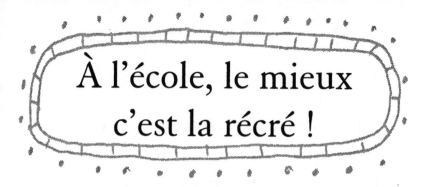

À l'école, le mieux c'est la récré !

Ils sont déjà grands. La preuve, ils vont à l'école. Que ce soit à la petite puis à la grande, ils ne se privent pas de commenter ce qu'ils apprennent. Ils découvrent la vie autrement et nous avec.

MAXIME C

À la fin des grandes vacances, Sidonie est bougonne :

– Je ne veux pas retourner à l'école... parce que à l'école, on m'apprend des choses que je ne sais pas.

Capucine raconte qu'en classe, elle a « appris les lettres » de son nom. Elle entreprend de les écrire mais les huit lettres sont tracées de manière aléatoire, un peu partout sur la feuille.

– Chérie, il faut écrire sur la même ligne, de gauche à droite.

– Non, moi j'écris en puzzle !

– Moi, je passe en CE1, mais ma maîtresse, elle reste dans la même classe, elle redouble.

Paul, 7 ans.

– Dans ma classe, pourquoi le tableau noir est vert ?

Théo, 5 ans.

En petite section de maternelle, lors d'activités en ateliers, Raissa lève le doigt :
– Maîtresse, est-ce que je peux faire de la *patate* à modeler ?

— Je suis trop fort en maths, je sais compter mes doigts.

Diego, 6 ans.

À la sortie de l'école, sur le chemin de la maison, sa nounou demande à Pierre :

— Qu'y a-t-il après « 1 » ?

Mimant l'évidence, le garçonnet répond :

— Ben, tous les autres chiffres !

antoine

— Dans la phrase « le voleur a volé les pommes », où est le sujet ? demande l'instituteur.

— En prison, tranche Aristide.

C'est la première initiation au calcul.
– Qui sait compter ? Un canard
plus un autre canard, ça fait quoi ?
– Coin-Coin, maîtresse.

Léonie est dans sa période pipi-caca et gros
mots. De retour de l'école, elle demande :
– Caca-boudin, c'est un gros mot ?
– Oui.
– Et caca-huète ?

– Le futur du verbe « je bâille » est ?
Lucie lève le doigt et trépigne car elle connaît
la réponse :
– Je dors.

– L'eau potable est celle que l'on peut mettre dans un pot.

Bertille, 4 ans.

Cécile, 4 ans, est devant sa feuille blanche, crayon en main.

– Papa, comment on dessine un carré ?

– Comme ça. Tu vois, il y a quatre angles.

– Ah oui, c'est comme un rond mais avec des coins !

L'institutrice : Sous les yeux, il y a ?

Renaud : Le nez.

L'institutrice : Et sous le nez ?

Renaud, 4 ans et demi : Un truc qui coule !

Le petit Ariel a régulièrement de mauvaises notes, mais il a oublié d'être bête. Aussi, quand on lui demande ce qu'il veut faire plus tard, il est très déterminé :
— Moi, quand je serai grand, je serai architecte et je construirai des écoles rondes.
Avant d'ajouter :
— Parce que comme ça les maîtres, ils ne pourront plus mettre les enfants au coin !

— Demain y a pas d'école, c'est jour *fermier*.
Alex, 6 ans.

Boniface, 4 ans, dit à sa maîtresse de maternelle :
— Tu sais que toi, tu as de la chance.
Tu ne travailles pas, tu vas à l'école !

Le père de Charles est diplômé de la
prestigieuse institution surnommée l'X.
Il s'en vante auprès de ses petits copains :
— Mon Papa, eh ben, il a fait une
grande école, la *polyclinique*.

— Le problème de la violence
à l'école, c'est quand les filles
griffent les garçons avec leurs
ongles.

Damien, 8 ans et demi.

— Pourquoi les écoles portent toutes des noms d'écrivains comme Henri IV et Pasteur ?

Le même...

KEVIN

En CE1, c'est la première dictée. La maîtresse demande à la petite Alexandra ce qu'il y a à la fin de « repas ».

— Toujours le dessert !

Le maître : Où se déroule l'action ?
Étienne, 7 ans : Dans le troisième paragraphe !

– Quel est le pluriel du mot arbre ?
demande l'enseignante.
– Une forêt, répond Coralie sans
sourciller.

Le maître demande à Margaux, 6 ans et demi :
– Qu'est-ce qu'une autobiographie ?
– Heu... c'est l'histoire de la vie de la
voiture de Papa ?

– Jeanne d'Arc s'appelait la
pucelle, parce qu'elle avait
plein de puces partout.
Shlomo, 6 ans.

À l'école, est projeté le film *Mulan* de Disney avant que la maîtresse explique que les méchants envahisseurs de la Chine étaient les Huns. Jordan lève le doigt et demande :
– Et les deuxièmes, c'est qui ?

La maîtresse de Momo n'en revient toujours pas. Quand elle avait demandé :
– Les enfants, comment s'appelle le doigt le plus long ?
Du haut de ses 5 ans, il avait répondu sans embarras aucun :
– Le doigt d'honneur, M'dame.

yasmine

Discussion de petites filles dans la cour de récréation.
— Regarde, copine, quand je cours, mes cheveux font le cheval.

Léonard, 6 ans, a un papa féru d'histoire qu'il a souvent entendu disserter.
Un jour, quand il entend parler d'un certain Führer à la télé...
— Moi, je sais, Hitler a voulu créer la race des acariens.

ROMARIC

Après un cours de sciences naturelles, Léon s'empresse de dire au gardien de son immeuble qui fume cigarette sur cigarette :
— Faut faire très attention, le tabac est une plante carnivore qui mange les poumons !

— Maman, tu peux me retailler mon crayon, il est détaillé ?
Manou, 3 ans.

La maîtresse donne un indice pour faire trouver le mot « trombone ».
— Il sert à accrocher les feuilles ensemble. C'est un... ?
— Un arbre ! répond Anaïs.

L'instituteur demande quels sont les temps de la conjugaison. Rachel a 6 ans et demi.

– Hier, c'était le passé. Demain, c'est le futur. Aujourd'hui, c'est le cadeau.

– ???

– Je veux dire le présent.

Cours d'initiation à l'informatique à l'école maternelle. Marion est fière d'expliquer à son papa :

– Pour que le « vateur » marche, il faut une télé, une table avec des lettres et une chauve-souris !

– Maîtresse, ma feuille n'est pas *perfusée* !
Fanny, en CP.

Brice n'est pas content.
– Maître, maître, y a Hervé qui m'a traité de p'tit con ! J'suis même pas p'tit !

En « mat sup' » (dernière année d'école maternelle), la maîtresse explique le masculin et le féminin.
– Tom, si tu as bien compris, donne-moi un exemple.
– Eh ben, les hommes ont un cerveau, les femmes ont une cervelle.

TERENCE

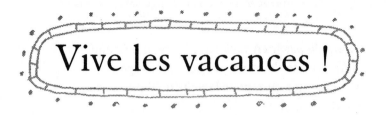

Vive les vacances !

« *Pourquoi les vacances*
Elles commencent pas en avance
J'sais pas
Pourquoi quand j'y pense
C'est pas toujours les vacances
J'sais pas. »
Henri Dès, *J'sais pas.*

**Pour un enfant,
la vie est simple et binaire :
c'est l'école ou les vacances.
La différence est que les parents,
en vacances, profitent de tous les mots
de leurs enfants.**

JULIA B

Avant de partir en vacances, Maman demande
à Arnaud de s'occuper du poisson rouge.
Un peu plus tard, dans la voiture, il s'exclame
soudainement :

— Maman, j'ai donné à manger au
poisson, mais j'ai oublié de lui donner
à boire !

C'est le jour du départ en vacances. Très sérieux,
Matthieu demande à son papa :

— Tu as regardé la météo des voitures ?

Après plusieurs heures de route, pour faire
passer le temps, Maman explique que tout le monde
ne part pas en vacances en même temps.
Ambre s'assure qu'elle a bien compris :

— Alors, quand on part en vacances,
il y a les juilletistes et les autistes ?

La Bretagne. L'océan y est magnifique mais, pour le petit José habitué à la Méditerranée, s'y baigner pose un problème.

– Papa, je crois que je ne vais pas pouvoir nager.

– …

– Papa, la mer est trop froide !

– …

– Papa, tu peux ajouter de l'eau chaude ?

– !!!

Nicolas, 3 ans, découvre la mer pour la première fois. De retour de la plage, il se plaint poétiquement d'avoir mal aux pieds dans ses baskets :

– Je crois que j'ai plein de petites miettes de plage dans mes chaussures !

Petite Sénégalaise de 6 ans, Fatoumata part en vacances pour la première fois. Avec le centré aéré, elle part sur la Côte normande. Très excitée, elle ne dort pas dans l'autocar, préférant parler des châteaux de sable qu'elle veut construire avec du vrai sable et pas celui du chantier que son père lui ramène dans des sacs en plastique ; du bain qu'elle va prendre dans de l'eau dont sa maman lui a dit qu' « elle a le même goût que celle qui sert à faire bouillir les pâtes » ; des coquillages qu'elle veut ramasser toute seule comme ceux que lui donne « le monsieur du poisson au marché ». À Villers-sur-Mer, c'est marée basse quand les enfants foulent enfin la plage. La petite **fille** regarde attentivement puis, les yeux embués de larmes, elle gémit :

– Les vacances sont déjà ratées !

Le moniteur s'approche de Fatoumata en pleurs et lui demande pourquoi ce gros chagrin.

Entre deux sanglots, elle se lamente :

– Oui, m'sieur, la mer elle est partie sans m'attendre...

Plutôt que l'habituelle location en gîte et inspirée par le film du même nom, la petite famille a décidé cette année de passer ses vacances au camping. Papa réunit les enfants pour leur expliquer le bonheur de la vie simple, les joies de la proximité et le relatif inconfort.

– On prendra la tente avec nous.

Lucas lève aussitôt le doigt.

– Laquelle, tante Josette ou tatie Berthe ?

En passant devant une éolienne dans un pré où broutaient des vaches un jour de pleine chaleur, Quentin s'exclame :

– T'as vu, Papa, il est gentil le fermier : il a mis un ventilateur pour ses vaches...

Margot et sa maman discutent dans la chambre :
– Pour notre maison de vacances, on va acheter des lits superposés.
– Ah bon ? Parce que mon lit n'est pas bien monté ?

C'est le 14 juillet.
– Maman, on va voir le feu *dentifrice* ?
Nicolas, 4 ans.

Léa regarde le feu d'artifice avec ses parents.
Apercevant les pompiers tout proches :
– Papa, pourquoi il y a les pompiers ? Ils ont peur que la maison du Père Noël brûle dans le ciel ?

En buvant de l'eau à une fontaine où figure gravée dans la pierre sa date de construction (1653) :

– Papa, elle n'est pas périmée cette eau ?

mathis

Lors d'une virée au Pas de la Case, Jason, 5 ans, demande pourquoi il y avait des « montres » sur les clochers. On lui explique qu'à l'origine, les clochers avaient été équipés d'horloge, afin que les villageois, qui n'avaient pas tous les moyens d'avoir une montre, puissent prendre connaissance de l'heure.

Et le petit futé de répondre :

– Pfff ! Ils n'ont qu'à regarder sur le micro-ondes !

Alors que Maman s'apprête à lui passer un bermuda, Léa fait un caprice mémorable et hurle :
– J'veux pas mettre de pantalons à manches courtes !

Thibault skie de mieux en mieux. S'il ne va pas très vite, c'est moins par peur de la vitesse qu'à cause d'un « petit problème technique », comme il dit. Il ne porte pas de masque et a les yeux qui pleurent. Il se retourne vers le moniteur et lui lance :
– Il faut que je m'arrête. Ce n'est pas de ma faute mais le vent me fait de la peine.

Ce sont les vacances et avant de jouer sur la plage, il y a un passage obligé que Laura, 6 ans et demi, résume doctement :

– Quand on ne met pas de crème, le soleil nous donne des coups.

En camp de vacances, Enzo, 7 ans, plonge dans le lac.
À son ami Marc, 6 ans, qui est resté sagement assis sur
sa serviette, il lance :

– Je croyais que tu savais nager...

– Oui, répond Marc, je sais nager, mais pas
dans l'eau !

En vacances à l'île de Ré, la famille profite de la plage.
La marée est descendante. Affairée avec sa pelle et son
seau, Louise n'a pas vu que l'océan se retire laissant
des tas d'algues çà et là. Elle observe longuement et
finit par interpeller ses parents :

– Pourquoi y a des perruques sur
la plage ?

Erwan

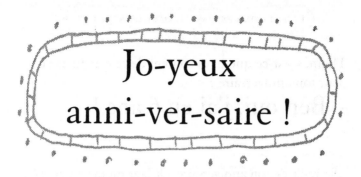

Jo-yeux anni-ver-saire !

« Le jour de mon anniversaire
Et juste après le dessert
Moi j'ai reçu plein de cadeaux… »
Henri Dès, *Doux doudou.*

En attendant d'avoir l'âge de raison
comme le grand cousin,
l'âge ingrat comme le frère aîné,
puis l'âge de ses artères comme Papy,
il y a celui des premières années
et des anniversaires qui comptent.

Thomas, est-ce que tu es content de ce que tu as eu
pour ton anniversaire ?

— Ben oui, j'ai eu 6 ans !

À la veille de son anniversaire, Océane est insupportable.
Sa maman est obligée de se « gendarmer » et menace :

— Si tu continues, je supprime fête, gâteaux, cadeaux, invitations et tout le reste...

La petite fille prend son petit air triste, qui d'ordinaire
attendrit, et pose la question :

— Et je n'aurai pas cinq ans non plus ?

— Est-ce qu'on est forcément né le jour de son anniversaire ?

Elmedina, 5 ans et demi.

– S'il te plaît, Maman, pour mon anniversaire, je voudrais une petite sœur.
– Je voudrais bien, mais ton papa ne veut pas maintenant.
– On n'a qu'à lui faire la surprise...
Oriane, 6 ans.

– L'adolescence, c'est quand on quitte le monde de l'enfance pour rentrer dans celui de l'adultère.
Lou-Anne, 8 ans.

Joris, 4 ans et demi :

– Mémé, pourquoi tu es vieille ?

– Parce que je suis née il y a très longtemps.

– Est-ce que ça veut dire qu'il y avait des dinosaures quand tu étais petite ?

C'est un grand jour. Toute la famille est là. Et elle est nombreuse. Même le journaliste du journal local est présent parce que Mémé Renée fête son anniversaire. Elle naissait voilà tout juste un siècle dans ce petit village d'Irlande.

Ayant bien observé la fête et écouté les discours, Ahern, 6 ans, résume la situation.

– Avoir 100 ans, c'est être centenaire.

– Bien, le complimente son oncle.

– Et quand on a 1000 ans, on est millionnaire ?

– Papa, tu grandis encore, parce que ta tête commence à dépasser de tes cheveux.

Loïc, 5 ans.

Le grand-oncle de Juliette fête son anniversaire.
En apprenant son âge, elle reste ébahie et s'exclame :
– 60 ans ! Mais ça existe ?

Louise feuillette l'album de photos de la famille avec sa mamie :
– Dis, dans l'ancien temps, tout était toujours noir et blanc ?

Jusque-là, Clément a été un enfant vif pour ne pas dire turbulent. Or, il est le dernier d'une fratrie de cinq garçons. Sa mère apprécierait de souffler enfin un peu. Aussi, le jour de son anniversaire, elle s'isole avec lui quelques instants, lui pose les mains sur les épaules, le regarde dans les yeux et lui dit :

– Aujourd'hui, tu as 7 ans. C'est l'âge de raison, tu sais...

– Chouette. Ça veut dire qu'à partir de maintenant, j'ai toujours raison ?

– Moi, j'aime bien quand c'est mon anniversaire, parce que ce jour-là, Maman ne me gronde pas si je fais des bêtises et si je fais une grimace, elle ne me dit pas que je vais rester coincée.

Armelle, 5 ans.

— Mamie, c'est quand mon anniversaire ?

— Il faut que tu attendes la fin de l'année. D'abord, les feuilles vont pousser sur les arbres, et quand elles tomberont, le temps sera venu de souffler tes bougies.

— Alors, je vais les arracher tout de suite !

Sarah est une petite fille d'ordinaire agitée. À l'approche de sa fête d'anniversaire, elle devient encore plus impatiente, voire nerveuse. Elle a déjà relancé ses petits camarades invités avec un beau carton « comme pour le mariage de tante Rachel », vérifié les ballons à accrocher sur la porte d'entrée, essayé et réessayé sa belle robe de Princesse. Comme elle n'y tient plus, elle interpelle sa maman.

— Bon alors, est-ce que je peux avoir mes 6 ans avant mon anniversaire ?

Maman demande à Anthony le gâteau qu'il
souhaite pour son anniversaire. Et le garçon de
répondre avec évidence et presque consternation :
– Ben, un gâteau aux bougies,
bien sûr !

– Moi, je suis né le 26 octobre.
Mon signe, c'est morpion.

Julien, 7 ans.

Le goûter d'anniversaire se prépare.
Maman dit à Rose :
– Tu es maintenant une grande.
Tu vas avoir 5 ans.
– Eh oui, je vais avoir toute ma main !

À l'approche de l'anniversaire d'Honorine,
bientôt 4 ans, sa maman lui demande
ce qu'elle aimerait avoir comme cadeau.
– Des crayons-feutres qui
sentent bon... ou alors un petit
frère ou une petite sœur !

– Pour grandir, il faut des anniversaires.
Alice, 7 ans.

Hubert vient de souffler ses quatre bougies
sans reprendre sa respiration. L'air ravi, il se
tourne vers son père.
– Dis, Papa, est-ce que mes bras et
mes jambes ont quatre ans eux aussi
ou c'est seulement ma tête ?

— Maman, quand est-ce que je suis sortie de ton ventre ?

— C'était le 7 mars.

— Incroyable, le même jour que mon anniversaire !

Pauline, 5 ans.

Brice est féru de lecture. Il lit tout ce qui lui passe entre les mains. Ce jour-là, c'est le livret de famille qui traîne sur la table. Nom, prénom, date de naissance, heure...

— Wouah, je suis né à 5 heures du matin.

Et d'ajouter :

— Ben dis donc, je n'ai pas beaucoup dormi, cette nuit-là !

La maman de Léonie, 3 ans, lui explique que sa Mamie va fêter ses 90 ans. Léonie, impressionnée, répond :

– ... ça fait beaucoup cher en bougies !

Lors de l'anniversaire de sa mamie, Cynthia est ébahie par le nombre de bougies qui illuminent le gâteau au chocolat. Elle doit même l'aider à souffler pour les éteindre toutes. Puis vient le gros bisou et la grand-mère plaisante sur son grand âge. La petite fille la coupe :

– Mamie, t'es pas vieille mais t'as beaucoup d'âge.

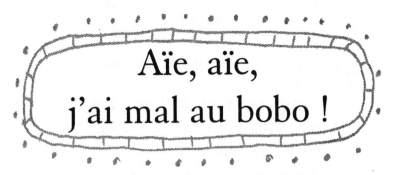

Aïe, aïe, j'ai mal au bobo !

« Y a quelques avantages / Aux petites maladies
Fini le surmenage / On peut manger au lit.

*Tu n'auras pas l'école / Là t'es plutôt chanceux
Ça vaut bien une rougeole / Qu'est-ce que tu veux de mieux. »*
Henri Dès, *Petite maladie.*

Le bobo est le premier gros malheur
des enfants. Ils prennent conscience de leur
corps et de leur fragilité et n'apprécient pas
forcément d'aller se faire « réparer »
chez le docteur.

SYRINE

Emma regarde sa maman donner des médicaments à sa petite sœur.

— Moi aussi, j'en veux des médicaments.

— Mais Emma, tu n'en as pas besoin, tu n'es pas malade, toi.

— Si. Moi aussi, j'ai du chauffage dans la tête !

La maîtresse demande au petit Martin pourquoi il n'est pas venu à l'école la veille.

— J'étais malade. J'avais de la température entre les fesses.

Le docteur demande au garçonnet où il a mal. Macéo lui montre sa gorge et explique :

— Je *cuve* quelque chose. Je peux plus avaler ma *lessive* !

Marianne, dont le papa doit être un amateur de football, annonce à sa mamie :
– Le docteur m'a fait le vaccin du PSG !

Tina est une enfant si difficile que ses parents demandent l'avis d'un pédiatre. Le médecin leur conseille de l'emmener voir un psychologue. La petite fille n'apprécie pas du tout.

– Et pourquoi je devrais voir un pepsi-chologue, moi ?

MATHIEU

Fièvre, maux de tête, diarrhée, Bryan a manqué l'école plusieurs jours. Le matin de son retour, il se précipite vers son institutrice avec son carnet de correspondance dans lequel ses parents ont expliqué son absence. Il argumente :
– J'ai pas pu venir parce que j'avais une gastro-en-terre-cuite.
Sa voisine, Lisa, tient à le corriger :
– N'importe quoi, on dit une gastronomique !

En pleine épidémie de gastro, alors qu'elle est sur le pot, la petite Malika interpelle sa mère pour lui signaler joliment qu'elle souffre de diarrhée :
– Maman, viens voir, j'ai le rhume des fesses !

Voyant le dentiste offrir une brosse à dents
à sa grande sœur, William, 3 ans, lui lance :
– Comme ça, tu pourras te coiffer les dents...

LAURA

Méryl a soudain eu très mal au ventre. La
maîtresse alerte la directrice qui fait intervenir
les pompiers. À l'hôpital, elle fait l'objet de
nombreux examens et passe plusieurs radios
qui ne révèlent finalement rien de bien grave.
Son père venu la récupérer lui demande dans
la voiture comment tout cela s'est passé :

– Eh bien, le docteur m'a
fait des photocopies du
ventre.

Nicolas, 4 ans :
— Comme mon petit frère s'est fait mal
à la jambe, le docteur lui a passé de la crème
et lui a mis une bande *vieille peau* autour.

Léa a 6 ans et demi. Gravement, elle explique
pourquoi sa maman est à la clinique :
— Elle a été opérée d'un
christ aux yeux verts...

Tom, 4 ans 3/4 (il y tient), raconte à ses copains
que son père est resté à la maison aujourd'hui :
— Mon Papa, il n'est pas allé au
travail ce matin parce qu'il a mal
au dos comme un *bungalow.*

Le petit Pascal traîne la patte. Sa mère lui demande ce qu'il a :

– Je crois que j'ai un ongle *réincarné* !

– Pardon ?

– Non, je veux dire *incarcéré* !

Sambou a appris à sa fille Fatou (2 ans et demi) à mettre la main devant la bouche quand elle tousse. Un jour, elle toussote et oublie la leçon.

Maman : Eh bien, qu'est-ce qu'on doit faire quand on tousse ?

Fatou : On doit me donner du sirop !

KILLIAN

Chez l'ophtalmologiste, Walid, 11 ans, subit plusieurs tests qui révèlent qu'il est daltonien. Le médecin entreprend de lui expliquer ce dont il s'agit et les difficultés que cela engendrera. À l'étonnement général, il laisse tomber :
– Au fond, peut-être que la mer Rouge est bleue...

JUSTINE

On ne regarde pas la télévision en mangeant. Quand cela arrive, Virgile tombe sur les images d'un nouvel attentat à la voiture piégée commis à Bagdad. Un court instant, une image montre un soldat ayant eu la jambe arrachée.
Le gamin lâche :
– Oh ! Il a été décapité d'une jambe...

Dans la salle d'attente du docteur, il y a un poster représentant la colonne vertébrale. Joris, 5 ans, interpelle son frère :
– Regarde, Lucas, un hippocampe !

Anne-Lise, 6 ans :
– Dans le dos, on a une colonne « verticale ».

Marion découvre les différentes parties de son corps dans le beau livre illustré offert à Noël. Elle observe le dessin puis touche la partie concernée. Il y a le coude, la cheville, la nuque. Puis, avec sa main, elle atteint le haut de son dos et s'écrie fièrement :
– Ça, c'est ma *moto-plate* !

Flavien joue au foot et s'apprête à marquer un but quand il est sauvagement fauché par un adversaire. Il tombe lourdement sur les genoux. À chaudes larmes, il quitte le terrain et vient se blottir dans les bras de son papa. Entre deux sanglots, il montre où il a été blessé :

— J'ai très mal au coude de la jambe.

Alicia, 7 ans, explique à son oncle qui est chirurgien qu'elle aimerait bien l'accompagner au bloc opératoire pour voir comment c'est à l'intérieur du corps quand il travaille.

— Tu sais, ma chérie, tu es encore trop petite pour voir ça.

— C'est pas grave, je monterai sur une chaise !

Thomas, qui a horreur des médecins au point de refuser d'accompagner sa maman à l'institut de beauté où les esthéticiennes portent la blouse blanche, est terrifié à l'idée de devoir subir une intervention chirurgicale. Mais la douleur dans le bas du ventre est plus forte et, au demeurant, ce n'est pas lui qui décide ! À la clinique, il est finalement opéré de l'appendicite. Dans la salle d'opération, avant que Thomas ne succombe à l'anesthésie, le médecin et les infirmières, masqués et gantés, se penchent sur lui pour le rassurer. Tout se passe pour le mieux du monde. Lors de son réveil, le regard brumeux et la parole hésitante, il serre fort la main de sa mère et l'attire à lui. Sur le ton du secret, il lui confie d'une petite voix :

— Tu sais maman, j'ai été opéré par des bandits...

Amélie doit se faire opérer des végétations.
Pour la rassurer, sa petite sœur l'avertit :
— Comme ça, tu n'auras plus mal à la
gorge parce que le docteur va couper
toute ton herbe.

Alors que la « grippe du poulet » fait la une de
l'actualité, Julie explique à sa mère que cela
fait trois jours que sa copine Solène ne vient
pas à l'école.
— Mais, pourquoi ? Elle est malade ?
— Oui, je crois qu'elle a attrapé la
grippe à bière.

FIONA

Victor, 5 ans, rentre de l'école et raconte sa journée :

– Il y avait une visite médicale. Le docteur m'a demandé d'enlever mon pantalon et il a rigolé quand je lui ai dit que j'allais avoir froid si j'étais torse nu des jambes.

– Aïe ! J'ai une *écharpe* dans la main.
Ramon, 5 ans.

Mathis repasse devant le laboratoire d'analyses médicales où il a subi une prise de sang voilà déjà plusieurs mois. Mais, à 6 ans, on a une bonne mémoire.

– Tiens, c'est ici le magasin de piqûres...

— Papa, le docteur a dit que si je tousse, c'est que je suis allergique au *sac à rien*.

Lazare, 7 ans.

Céline adore les bonbons. Beaucoup trop. Sa nounou la prévient que si elle continue, ses quenottes vont être malades et tomber. Nullement impressionnée et déjà calculatrice, la petite de 4 ans s'explique :

— Ça ne fait rien ! Avec ce que la petite souris va me donner comme argent, je pourrai m'acheter des paquets entiers de caramels !

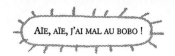

Papa fait un peu de bricolage à la maison et se coupe à la main. Présent dans l'atelier où il s'amuse à planter des clous dans un bout de bois, le petit Lulu ne panique pas devant le sang qui coule le long du poignet de son père, et se veut rassurant :

— T'inquiète pas, Maman va t'amener à la clinique pour que le docteur te fasse des *points du futur*.

Chez le marchand de chaussures, Tina prévient la vendeuse :

— Il me faut des chaussures un peu plus grandes parce que le docteur a dit que je dois marcher avec des semelles *gynécologiques* !

Tania

Z comme... zizi !

« C'est le p'tit zinzin qui passe par ici
Et qui va toucher le p'tit machin
Et le p'tit machin qui repasse par là
Et qui fait marcher le p'tit zinzin… »
Henri Dès, *Le p'tit zinzin.*

Zizi, zigounette, p'tit tuyau, bi-bip,
il fascine les enfants, quels que soient leur
âge et leur sexe. La zézette beaucoup moins.
Allez savoir pourquoi !

Lucas a une façon très simple de différencier les garçons et les filles.

— **Les garçons ont des zizis et les filles ont des couettes !**

Dans la famille pétrie de convenances, Anne-Gaëlle surprend pour la première fois son père nu dans la salle de bains. La petite fille de 3 ans se précipite vers sa mère :

— **Maman, Maman, Papa c'est un éléphant. Il a une trompe !**

— **Moi, j'ai un petit zizi, et Papa, il a beaucoup de zizi.**

Vincent, 6 ans.

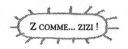

Déborah, 5 ans, à son petit frère de deux années plus jeune qu'elle :
— C'est mignon ton zizi, tu me le prêtes ?

— Tu sais, Mamie, moi, j'ai décidé de bien manger parce que je veux avoir un gros zizi comme papa.
Severin, 6 ans et demi.

— J'ai mon zizi qui fait le soldat.

Aimé, 5 ans et demi.

Léame

Justin n'a que quelques jours. Amandine, qui se défend d'être jalouse de qui que ce soit, ne cesse de tourner autour du nouveau venu. Elle pose mille questions dont celle de savoir où est le zizi.

— Dans sa couche, lui répond sa mère.

Quelques secondes plus tard, elle revient avec un change propre dans les mains et, tout en regardant à l'intérieur, elle lui dit :

— Non, maman, je t'assure, il n'y est pas !

— Quand je serai grand, j'aurai de la barbe sur mon zizi comme papa.

Louis, 6 ans.

Il est tard et la mère de Dimitri, 5 ans, l'informe qu'il va falloir aller se coucher car la journée a été longue.

— Tu as raison, M'an, mon zizi aussi est très fatigué. Il a bien travaillé aujourd'hui...

Interloquée et quelque peu inquiète, la Maman lui demande ce qu'il a fait.

— Ben, il a beaucoup fait pipi dans le jardin !

Dans la cour de récréation, Audrey raconte la venue de son petit frère, né quelques jours auparavant.

— C'est simple, mon petit frère, il a un petit zizi comme mon papa.

À la maternité, juste après l'accouchement, Tom découvre son petit frère dans la couveuse, le reste du cordon ombilical encore pincé.
– Hé, vous avez vu, il n'est pas comme moi, il a sa zigounette sur le ventre !

Confronté à la même découverte, Maurad s'était exclamé :
– Z'avez vu, il a trop de chance, il a deux zizis !

– Je fais faire de la gymnastique à mon zizi et il deviendra très fort.
Aymar, 7 ans.

Gaspard est encore trop petit pour s'habiller tout seul. Mais il a l'âge de s'interroger sur les choses de la vie. Après lui avoir enfilé ses chaussettes, Maman lui présente son slip.

— C'est drôle d'avoir appelé ça une cu-lotte, ça pourrait aussi bien s'appeler une zizi-lotte.

Rachel écarquille les yeux en regardant le nombril de son frère qui vient de naître. Le docteur de la maternité lui explique que cette excroissance va tomber dans quelques jours. La petite montre alors le zizi du bébé et s'inquiète :

— Est-ce que lui aussi, il va tomber dans quelques jours ?

Vincent

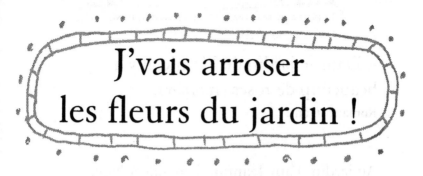

J'vais arroser les fleurs du jardin !

« *Le mercredi après-midi*
C'est mes vacances
J'vais dans l'jardin sous mon sapin
Faire connaissance.

Quand j'ai du bol
J'vois des centaines
De p'tites bestioles
Qui vont qui viennent… »
Henri Dès, *Jour de flemme.*

**Plus qu'au square où ils préfèrent jouer
que respirer les fleurs, c'est au jardin que les enfants
découvrent la nature. Et nous de redécouvrir
un environnement devenu trop familier.**

— Dans le jardin de Mamie, il y a beaucoup de roses *crémières*.

Romane, 6 ans.

Au jardin, Papy Jeannot demande à Noé, 3 ans :

— Qu'est-ce que j'ai planté là ?

Noé examine le carton dans lequel étaient les graines de petits pois et répond :

— Des boîtes !

Laurent fait des bulles de savon dans le jardin...

— Pourquoi les bulles volent alors qu'elles n'ont même pas d'ailes ?

Julien aide sa maman qui plante des tomates dans le jardinet, derrière la maison. Sur chaque plant mis en terre, il verse un peu d'eau. Au bout d'un moment, l'intendance ne suit plus. Maman interpelle Julien qui plonge son regard dans l'instrument tout en l'agitant :

— Je ne peux pas, mon arrosoir est complètement dérempli.

Élisa, 3 ans et demi, a mis son chapeau de paille et chaussé les grosses lunettes de soleil de sa maman à qui elle déclare solennellement :
— Moi, je vais faire comme Papy, je vais aller jardiner pour faire pousser des cassis, des myrtilles, des fraises et... de la Chantilly.

Grand-papa explique à son petit-fils Justin,
4 ans, qu'il sèmera des graines dans son jardin
pour faire pousser des concombres, de la
laitue, des radis, des carottes, des pommes
de terre... Justin l'interrompt et lui demande :

– Et pourquoi pas des frites ?

Alors que le jardinier de l'immeuble, après
avoir tondu la pelouse, arrache les mauvaises
herbes, Dimitri l'interpelle :
– Faut pas arracher la pelouse, parce que
c'est les cheveux de la terre et ça fait mal
quand on les tire !

Zacharie revient vers son papa en train de mettre en terre des plants de tomates. Il lui tend sa petite main dans laquelle se trouve une coquille d'escargot vide.

– Regarde, Papa, il y a un escargot qui a déménagé.

Bonne-Maman montre à Erwan, 3 ans, que les fraises poussent sur des fraisiers, les framboises sur des framboisiers et les salades...

– Sur des saladiers ! tranche le petit garçon.

« Une clôture, c'est pour pas que les voisins se mélangent. »
Marion, 4 ans.

Dans la voiture, en route pour le jardinet loué depuis des années en périphérie de la grande ville, un papa demande à son fiston, après avoir passé en revue tous les fruits et légumes qu'il cultive :

– ... et sur quoi poussent les citrons ?

– Une Citroën !

L'oncle de Thallia est agriculteur. À côté de la ferme où il élève des vaches et des cochons, il y a un grand potager d'où la petite fille, robe à smocks et souliers vernis, revient en portant un lourd panier en osier rempli de tomates. Ne voyant pas bien ce qu'il y a devant elle, elle marche dans une grosse bouse de vache. Sans se départir de sa bonne éducation, elle s'exclame, bien embêtée :

– Zut alors, je crois bien que j'ai marché dans un gros mot !

Sa maman demande à Lara, qui n'a pas encore trois ans et parle depuis peu :

– Que connais-tu comme fleurs ?

– Les roses. Et puis, y a les bleues, les vertes...

– Papa, je peux t'aider à enterrer les feuilles mortes, s'il te plaît ?

Riri, 7 ans.

En voyant une coccinelle jaune, Margot s'exclame :

– Regardez la coccinelle, elle n'est pas encore mûre !

Latifa et sa maman se promènent sur
un chemin qui longe des champs quand
la petite fille pointe son doigt et dit :

– Regarde le joli *épouvantable*
à oiseaux !

Dans un jardin, un beau cerisier donne ses
premiers fruits. Pour dissuader les oiseaux
de venir faire bombance, le propriétaire du
lieu a suspendu de vieux CD à de nombreuses
branches. Ambre, 5 ans, revenant de
promenade, est intriguée, avant de raconter
à sa petite sœur :

– Tu sais, les arbres sont
comme nous, ils aiment bien
écouter de la musique.

Louise est au bord des larmes après avoir marché par mégarde sur un œuf d'oiseau tombé d'un nid.

— Mon petit cœur saigne tellement fort que maintenant ça déborde dans mes yeux.

Lors d'une promenade champêtre, Hugo et sa maman passent à côté d'une mare à nénuphars. Le garçon lui demande :

— Tu trouves pas qu'elle est belle cette piscine à fleurs ?

Comme il a les chaussures pleines de terre, mamie autorise Nico à aller faire pipi au fond de la parcelle, le long du grillage, sachant qu'après il n'y a que des pâturages. Comme il tarde à revenir, elle le rejoint et lui demande ce qui se passe.

— Je suis bloqué.

— Comment ça ?

— C'est à cause de la vache qui n'arrête pas de me regarder !

Durant les vacances d'été, Eva voit arriver sa grande cousine avec ravissement. Quand, pour aider au travail du jardin, elle la voit se mettre en brassière et remarque pour la première fois son nombril percé, elle s'écrie :

— Waouh, il est beau ton persil !

Gassy, 5 ans, entend son père pester contre les taupes qui défigurent sa pelouse en la constellant de petits tas de terre. Le dimanche, la famille est invitée chez l'oncle qui finit de construire la maison de ses mains. Il s'est fait livrer de la terre pour terminer le jardin. En voyant le tas à l'entrée du terrain, Gassy s'exclame :

— Alors là, c'est pire que chez nous. Ici, les taupes sont méga-grosses !

Dans l'abri de jardin, Fifi, 4 ans, remarque le thermomètre extérieur.

— Papa, est-ce que le dehors il est malade ?

Alyssa est souvent soignée par homéopathie.
Nous sommes au printemps et ce jour-là,
elle regarde son grand-père semer des graines
de gazon ici et disperser de l'engrais là.
Très intriguée, elle demande :

– Dis, Papy, est-ce qu'elle est
malade la terre pour que tu lui
donnes des granules ?

Près de Besançon, Angèle aide son papy à planter
des salades quand, soudain, la terre se met à
trembler. Il s'agit d'un séisme comme il s'en
produit de temps à autre dans cette région.
Pas un seul instant, la petite fille n'a eu peur.
L'explication de ce calme est fournie quand,
revenue dans la maison, elle lance à sa mamie :

– Ben, dis donc, y a sacrément des
taupes sous votre jardin !

Papy et son petit-fils sont dans le jardin quand le temps devient de plus en plus menaçant. Les nuages se bousculent et Toine s'amuse à leur trouver une ressemblance. Celui-ci a une tête de cheval, celui-là est comme la tête de Mickey, un autre ressemble à une grosse main avec d'énormes doigts.

Le grand-père entreprend d'expliquer à son petit-fils que les nuages ont même un nom.

— Regarde, celui-ci en forme d'enclume est un cumulo-nimbus. Celui-là qui ressemble à une griffure faite au ciel est un cirrus. Et tu vois celui-là ?

— Oui, oui, je sais, c'est un Airbus !

Le papa de Julien est furieux car la grêle en train de tomber va dévaster son jardinet ; mais il ne peut s'empêcher de sourire quand son rejeton explique :

– C'est le ciel qui soigne la terre avec de l'homéopathie.

Grand-père est bien seul depuis qu'il est veuf. Alors qu'il arrose les fleurs du jardin en compagnie de « sa » petite Aglaée, 4 ans, il ne peut retenir ses larmes quand la petite fille lui annonce, que :

– Demain, je vais au cimetière avec mon arrosoir et je vais faire repousser Mamie.

louis

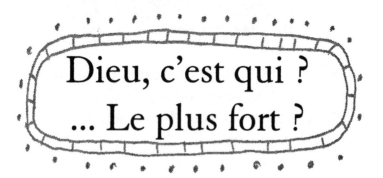

Dieu, c'est qui ?
... Le plus fort ?

« *Pas besoin d'hélicoptère*
Pour décoller de la Terre
M'envoler dans les étoiles
Pour un' visite amicale.

Quand j'ai pas grand-chose à faire
Ça n'est pas pour me déplaire
Je m'en vais dans mon nuage
Loin du bruit loin du tapage. »
Henri Dès, *Mon nuage.*

Qu'il s'agisse d'une simple curiosité ou,
déjà, de questions existentielles,
la religion interpelle aussi les petits.
Plus que jamais, leur candeur fait merveille.

Émilie, 4 ans, entre pour la première fois dans une chapelle et voit beaucoup de cierges allumés dans une alcôve. Elle se tourne vers sa mère et lui demande :

— C'est l'anniversaire de qui ?

Au mariage de sa tante, Jules entend le prêtre dire :

— Il prit la coupe et dit : « Buvez, ceci est mon sang... »

Alors en chuchotant, l'air atterré :

— Il est fou, on n'est pas des vampires !

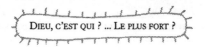

– Dis, Papa, quel travail il faisait Joseph ?

– Il était charpentier.

– Et Marie, elle travaillait ?

– Non, elle s'occupait du petit Jésus.

– Alors, pourquoi le petit Jésus, il était
à la crèche ?

C'était la première fois que Louison, 4 ans et
demi, entrait dans une église pour assister à
une messe. À la fin de l'office, sur le parvis, elle
tire la manche de sa mère pour lui demander :

– Maman, ça veut dire quoi « Ahmed » ?

– C'est un prénom, chérie.

– Alors pourquoi le curé disait
toujours « Ahmed » après le signe
de croix ?

Lola, 4 ans et demi, se promène tranquillement dans les allées du marché. Sans que rien ne puisse laisser présager quoi que ce soit, elle interpelle sa mère.

— Maman, est-ce que Dieu existe ?

— Si tu y crois, il existe, et si tu n'y crois pas, il n'existe pas.

Un peu plus tard, la petite fille tire à nouveau la manche de sa maman.

— Moi, Dieu, je ne sais pas s'il existe. Mais le Père Noël, c'est sûr qu'il existe. Parce que j'y crois !

— Maman, est-ce que la lune c'est l'œil de Dieu ?

Jade, 4 ans.

Julien, 6 ans, est en vacances avec ses parents dans le Châtillonnais. Après le vase de Vix, il s'agit de découvrir une ravissante chapelle romane. Hélas, l'édifice est fermé. Julien demande tout de même à ses parents qui habitait là. Sa mère lui explique que c'était la maison de Jésus. Et le garçonnet de répondre :
— C'est dommage qu'il ne soit pas là, il aurait pu nous ouvrir.

— Papa, pour Dieu, est-ce qu'on est comme des Playmobils ?
Coralie, 4 ans.

À l'église, voyant le prêtre distribuer les hosties, Vincent s'exclame :
— Moi aussi, je veux de la galette !

Jennifer, 3 ans, découvre un arc-en-ciel et demande comment cela se produit. La mère peine à traduire simplement ce phénomène naturel. Qu'à cela ne tienne, Jennifer la coupe et lui propose une explication :
— Et si c'était Jésus qui fait ça avec ses crayons de couleur...

— Papa, Dieu, c'est un homme ou une femme ? demande Tom, 8 ans.
— Tu sais, Dieu n'est ni un homme ni une femme, ni noir ni blanc, il n'a pas de sexe. Il aime tout le monde, les adultes comme les enfants.
— Alors je sais, Dieu, c'est Michael Jackson !

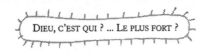

Gwendal a 6 ans quand sa maman lui remet sa médaille de baptême. Sur une face, il y a l'effigie de Jésus et sur l'autre la date de naissance. Le petit garçon demande très naturellement :
– Le numéro de téléphone, c'est celui de Jésus ou c'est celui d'ici à la maison ?

– Si les saints vont au ciel, où vont les fesses ?

Tony, 7 ans et demi.

C'est l'épiphanie. La maman de Fabien lui explique ce que cela signifie.
– Ah ! J'ai compris ! La galette des Rois, c'est le gâteau d'anniversaire de Jésus.

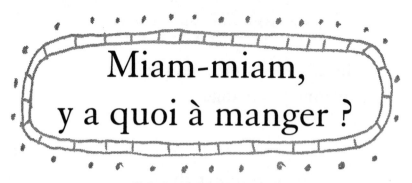

Miam-miam,
y a quoi à manger ?

« J'ai plus faim j'ai plus faim
J'ai l'estomac plein plein plein
J'ai mangé plein de bonbons
Pendant la récréation… »
Henri Dès, *J'ai plus faim.*

Lors des repas, ce qu'il y a dans l'assiette
est souvent moins savoureux
que ce qui se dit à table… Au menu,
remarques épicées et propos salés.

– Je suis allergique à tout ce que
je n'aime pas manger !
Ella, 7 ans.

– Le poivre, c'est du sel
qui pique.
Florentin, 5 ans.

Justine s'est régalée en dévorant ce qu'il y avait
dans son assiette.
– Mmmm, Maman, c'est délicieux.
Tu l'as acheté où ?
– Je viens de le cuisiner exprès pour toi,
ma chérie.
– Ah bon ? Mais c'est si bon qu'on dirait
que tu l'as acheté !

Joris a une petite soif.

— Maman, je veux de l'eau.

— Tu n'aurais pas oublié le mot magique ?

— Abracadabra...

La maman de Noémie a préparé de la pâte à crêpes. Elle lui explique que pour que cela soit bon, il faut la laisser reposer. Noémie se penche au-dessus du saladier, fait un petit geste d'adieu de la main et dit :

— Bonne nuit, à demain...

clément

– Qu'as-tu envie de manger ce soir, Luna ?
demande sa maman, devant la porte ouverte
du réfrigérateur.
Et montrant du doigt une assiette de saumon
fumé, la petite fille s'exclame avec envie :
– Du poisson rouge, s'il te plaît !

C'est l'heure du goûter.
– Attention, Florian, tu perds des morceaux
de ton biscuit. Tu en mets partout !
– Tu n'as qu'à acheter des gâteaux qui
ne font pas de miettes !

À la fin du repas, Papa savoure son café.
Aristide observe longuement la tasse :
– Regarde, Papa, il y a des fantômes
qui s'envolent de ton café !

Cours de cuisine en ce dimanche matin.
Aujourd'hui, la recette de la ratatouille. Élodie,
4 ans et demi, aide à couper les légumes.
Lorsque tout est prêt, la maman cuisinière
met l'huile à chauffer dans un faitout dans
lequel elle ajoute les courgettes et les aubergines
et explique à Léa qu'il faut faire revenir les
légumes. Alors, Léa grimpe sur une chaise,
regarde dans la casserole et reste là à attendre.

— Q'est-ce que tu fais ? lui demande sa
maman.

— Ben, j'attends que tout disparaisse.

— ???

— Ben oui, t'as dit qu'ils allaient revenir,
alors j'attends d'abord qu'ils partent...

Anna

Sophie observe le café coulant goutte à goutte dans la cafetière. Elle regarde son frère, pouffe et lance :

— Maman, Maman, le café, c'est comme du caca qui fait pipi !

Charlotte, 3 ans, sait ce qu'elle veut pour agrémenter l'ordinaire.
Désignant de son petit doigt le tube de mayonnaise, elle commande :

— Je veux de la pommade pour mouiller les frites !

Samedi soir. Toute la famille se retrouve à dîner à la pizzeria. Jérôme, 5 ans un quart (il tient à la précision), regarde son père saupoudrer du parmesan sur ses spaghettis.
— Papa, moi aussi, j' veux du fromage en neige !

Il est tard car Maman a été dérangée par un coup de téléphone alors qu'elle faisait la cuisine. Léonie s'impatiente :
— C'est quand qu'on mange ? Je *creuse* de faim, moi.

Alors qu'il n'a qu'un peu plus de 4 ans, Romain est insolent. Il le prouve une fois de plus quand son père lui demande de passer à table :
— Va te faire cuire un bœuf !

La maman :
— À table ! Ce soir au menu, il y a du canard à l'orange.
Alexia :
— Et comment ils font les chasseurs pour voir de loin la couleur du canard ?

Estelle prend son rôle de grande sœur très au sérieux. Elle le prouve une fois de plus quand à la fin du repas, elle lance à sa sœur :
— Lola, mange ta glace, sinon elle va refroidir.

Line, 4 ans, et ses copains ont mangé sans faire d'histoire alors que les parts étaient copieuses.
Très fière, la petite s'exclame :
— T'as vu, Maman, on a tout mangé, on est des hommes !

Victor, 4 ans, sait déjà ce qu'il aime avoir dans son assiette.

— Tu as mangé quoi aujourd'hui à la cantine ?

— Des *crottes de monsieur* et c'était très bon !

Tout content d'avoir aidé son papa à faire une surprise à sa mère pour le dessert, Pierre se jette sur elle quand elle rentre du travail.

— M'man, j'ai fait des *chaussettes* aux pommes pour toi.

MARIE

Le repas terminé et la table débarrassée, il faut encore remplir le lave-vaisselle. Avant de le mettre en route, Maman introduit une tablette de lessive de forme allongée. Phong, qui n'a que 4 ans, observe puis demande :

– Il marche bien le lave-vaisselle, pourquoi tu le soignes en lui mettant un suppositoire ?

À taaaable ! Hortense descend de sa chambre avec un gros pull et une écharpe pour expliquer :

– Brrr ! J'ai froid. Je *grignote* !

Emmanuelle, 5 ans :

– Papa, tu peux couper le saucisson en *hirondelles*, s'il te plaît ?

– Malika, c'était bien la cantine
aujourd'hui ?
– Oui, Maman chérie.
– Qu'est-ce que tu as mangé de bon ?
– Du jambon.
– Avec quoi ?
– Une fourchette !

ANNE

À 6 ans, Maxime est en âge d'aider aux tâches
ménagères. Désormais, il débarrasse la table.
Pour l'encourager, sa maman le gratifie d'un :
– Ah, c'est bien ! C'est gentil d'aider.
Piqué au vif, le gamin répond :
– Eh oh, j'te ferai dire que je ne m'appelle
pas Dédé !

Au petit déjeuner, Romain, 5 ans, explique pourquoi il préfère continuer à boire le biberon plutôt que de manger.

— Y a un petit problème technique. C'est que les tartines retombent toujours du côté de la confiture !

Fabrizio, Elena, Monica et Luigi savent bien que, comme tous les dimanches, ils ont droit au plat national de leur papa. Cette fois-là, Mamma annonce fièrement :

— Pâtes fraîches pour tout le monde !

En chœur, les garnements répondent :

— N'importe quoi, y a de la fumée, elles sont brûlantes.

Lors du repas, Maelis et Arnaud discutent âprement puis se disputent vraiment. La sœur lance à son frère :

— Mais tu m'énerves, tu m'as coupé l'appétit de parler !

Au restaurant, à la fin du repas, le grand-père dit qu'il s'est régalé et que c'était copieux. Mimoun, 3 ans, l'interpelle :
— Papy, sur qui tu as copié ton repas ?

MOANA

Papa Noël, apporte-moi des jouets pour mes petits souliers...

« Demain c'est Noël
On aura des gâteaux
Sous le grand sapin
Tout plein de cadeaux. »
Henri Dès, *Demain c'est Noël.*

Croire au Père Noël. Il n'y a que les enfants pour avoir cette innocence.
Si nous nous en amusons, nous savons tous que nous la leur envions...

Thibault, qui n'a que 3 ans, veut participer à la décoration du sapin. Boules, guirlandes, étoile... quand il se blesse avec une épine.

– Aïe, le sapin m'a mordu !

– Morgane, le 25 décembre approche et tu n'as toujours pas fait ta liste pour le Père Noël.
– Pour quoi faire, tu m'as dit qu'il voyait tout. Alors, il verra ma liste dans mon cœur !

– Angelina, que veux-tu pour le 25 décembre ?
– Une poupée, un jeu des 7 familles et un livre d'histoire de princesse.
– C'est tout ?
– Non, j'ai demandé aussi plein de cheveux pour Papa !

– Petit Papa Noël, quand tu descendras du ciel, avec tes jouets pas payés...

Léonie, 5 ans.

– Maman, j'aimerais bien avoir ça comme jouet.
– Tu n'as qu'à le demander pour ton anniversaire.
– Oui, ou au Père Noël ?
– Si tu veux.

Après un temps de réflexion, le petit Walid lâche :

– Au Père Noël, c'est mieux, ça ne te coûtera rien !

Le papa de Jérôme l'interroge sur ce qu'il a demandé au Père Noël, et David lui répond :

— Je lui ai demandé qu'il vienne plus souvent.

— Dis, Papa, pourquoi le Père Noël il a dans le dos le même panier à linge que dans la buanderie ?

Midzou, 6 ans.

Marie, 4 ans et demi, au centre commercial :

— Pourquoi le Père Noël, il met une fausse barbe ?

– Le Père Noël est riche et peut donner des cadeaux parce que la petite souris lui a donné des sous...
Margaux, 5 ans.

À 7 ans, Louis, dont le père est artisan, a la tête sur les épaules même s'il croit encore à la belle légende. Il sait aussi que le Père Noël ne fabrique pas les jouets lui-même mais qu'il les achète dans les grands magasins. Sa lettre est très détaillée avec, à l'appui, les photos des jouets convoités découpées dans les catalogues. Papa éclate de rire quand il arrive en bas de page car il y est écrit :

– Pour un montant total de 391,00 €, merci, Père Noël, de votre compréhension. Signé Louis.

Dimitri, 7 ans, a écrit sa lettre au Père Noël et a la ferme intention de le convaincre. Là où d'autres expliquent qu'ils ont été sages ou qu'ils ont bien travaillé à l'école, le garnement préfère la franchise aux mensonges.

« Cher Père Noël, ça fait trois ans que je te commande un gros camion de pompiers. Je te préviens que si tu ne me l'apportes pas cette année, je vais brûler la maison où j'habite pour que tous les camions de pompiers viennent éteindre le feu. »

quentin

Tatie Thérèse demande à Mathias, 4 ans, s'il sait où habite le Père Noël.
— Ben oui, dans le grand magasin du centre commercial près de chez nous !

Grazzina fait les courses avec sa maman à l'hypermarché. En passant devant le rayon des jouets, elle s'alarme de la frénésie ambiante.
— Hou la la, si tout le monde met des jouets dans son caddie, le Père Noël n'en aura plus pour moi.

— Célestin, qui est-ce qui tire le traîneau du Père Noël ?
— C'est des *Bambi* avec des branches sur la tête.

– Quand il neige, c'est le Père Noël qui secoue sa tête pour enlever les pellicules de ses cheveux sales.

Romain, 6 ans.

– Il ne va pas se brûler le Père Noël en passant par la *feuminée* ?

Caro, 5 ans et une dent cassée.

– Il est né Lu-di-vine enfant...

Killian, 5 ans.

La chorale de l'école chante Noël devant les parents attendris. La petite sœur de Garance, elle aussi, est fière de son aînée. Soudain, elle tire sa maman par la manche :

— T'as vu, elle a parlé de moi. Dans la chanson, elle a dit : « Petit Papa Noël, quand tu des *Sandra* du ciel... »

— Papy est parti au ciel pour aider le Père Noël quand il faut distribuer les cadeaux par milliers.

Sambou, 4 ans.

Pour aider à garder patience et gâter déjà un peu
leurs petits, de plus en plus de parents leur offrent
un calendrier de l'Avent. Chaque jour, derrière
la petite porte, il y a un bon chocolat à déguster.
Le 1er décembre, Maman donne le top départ.

— Ça y est, aujourd'hui tu peux manger
le n° 1 !

Et Lilian de demander aussitôt :

— Et si j'en mange plusieurs d'un
coup, le Père Noël arrivera plus vite ?

Au parc, Valentine se promène tranquillement en
donnant la main à ses parents quand elle aperçoit un
vieux monsieur assis sur un banc avec une très longue
barbe blanche qui lance des graines aux pigeons.

— Dites, où est-ce qu'il habite le Père Noël ?

— Au pôle Nord, pourquoi ?

Et Valentine de souffler mystérieusement :

— Pour rien, pour rien...

Aline, 4 ans, devant le calendrier de l'Avent,
le 24 décembre :

— J'ai tout mangé. Alors, maintenant,
il arrive quand, le papa des jouets ?

— Le Père Noël, il a trop de la
chance, il a plein de cadeaux.
Plus que moi.

Raphaël, 5 ans.

Maman a un gros ventre comme le Père Noël car
l'heureux événement ne va plus tarder. Papa prévient
Yanis que pour Noël, il aura un petit frère ou une
petite sœur. Le petit garçon se fâche :

— Ah non, alors... Moi, j'avais
commandé une Game Boy !

Depuis que l'activité de leur entreprise a été délocalisée, les parents de Brandon ne travaillent plus au service « achats » où ils se sont rencontrés. Dans leur petite ville, ils peinent à retrouver un emploi et les fins de mois sont de plus en plus difficiles. Malgré la précarité et la pauvreté, ils font ce qu'ils peuvent pour préserver l'émerveillement de leur petit. En voyant les paquets cadeaux au pied du sapin, le visage de Brandon, 6 ans, s'illumine en même temps qu'il lance avec une lucide candeur :

– Heureusement que le Père Noël existe parce que mon Papa et ma Maman n'auraient jamais eu assez d'argent pour payer tous mes jouets !

– Si mon frère et moi on n'a pas les mêmes jouets, c'est parce que le Père Noël c'est pour les garçons et que, pour les filles, il y a la Mère Noël.
Lucia, 5 ans.

Costa, 6 ans, est un malin.
– Moi qui croyais que le Père Noël avait son usine pour fabriquer les jouets. En fait, il ne se fatigue pas, il fait comme tout le monde, il les achète dans les magasins.
– Pourquoi dis-tu ça, fiston ?
– Regarde le papier cadeau, il vient de La Grande Récré et de Toys "R" Us... !

– Mon Papa, pour Noël, il a eu un beau livre. C'est des poésies de Rambo.

Florian, 6 ans.

amandine

Après les vacances de Noël, dans la cour de récréation, la question revient sans cesse :

– Et toi, qu'est-ce que t'as eu ?

Adrien crâne devant son copain Mathieu :

– J'ai eu un pistolet pour Noël. Mais, t'inquiète pas, je ne vais pas te faire mal, je vais juste te tuer !

Bien sûr, c'est dans la cour de récréation que Lalanne apprend un jour que le Père Noël n'existe pas. Aussi, à la sortie de l'école, elle se jette dans les bras de sa mère en sanglotant.

– Ne t'inquiète pas, mon petit chou, même s'il est vrai que Papa Noël est une légende, il n'empêche que tu auras des cadeaux sous le sapin. À condition de continuer à être sage.

– Ça d'accord, mais ça veut dire que je ne pourrai jamais faire un tour dans son traîneau !

– Quand il y a un éclair dans le ciel, c'est le Père Noël qui nous prend en photo.

Elia, 5 ans et demi.

Dorian, 5 ans, vient jouer chez son copain Matt dont le papa est boulanger. Course poursuite, bousculade, cris, la maman sort dans le jardin pour rétablir le calme. Elle sermonne son fils qui devrait montrer l'exemple.

— Tu sais bien que Papa travaille la nuit et que donc il dort le jour pour se reposer.

Dorian se tourne alors vers son copain.

— Hé Matt, tu m'avais pas dit que ton papa est Père Noël !

« Cher Père Noël, comme Maman est malheureuse et moi aussi, est-ce que tu peux m'apporter un nouveau papa ? Merci du fond du cœur. »

Faustine, 5 ans.

Discussion entre deux garçons entendue sur un manège de chevaux de bois, sur la place du village.

— Toi, t'es vraiment qu'un petit. Tout le monde sait que le Père Noël n'existe pas !

— Ah oui, alors qui apporte les cadeaux ?

— Ben, c'est saint Nicolas !

On sonne à la porte. Maman va ouvrir avant que Sonia, 4 ans, lui demande :

— C'était qui ?

— Un livreur.

— C'est quoi ?

— Un monsieur qui apporte des paquets comme celui-là à la maison.

— Ah bon, c'était le Père Noël alors ?

Amélie se promenait avec sa maman en ville.
Après-midi shopping. Sous un porche, un SDF avec
une longue barbe et portant un long manteau tend
la main pour faire la manche.
La mère s'arrête, fouille dans son porte-monnaie pour
en retirer une pièce qu'elle donne au vieil homme.
La petite fille est interloquée.

– Mais, Maman, pourquoi tu donnes
de l'argent au Père Noël ?

Maman demande à Louis de faire le tri dans ses
jouets afin qu'elle envoie tous ceux avec lesquels
il ne s'amuse plus en Afrique. À son frère, il glisse
sur le ton de la confidence :

– Tu sais quoi... Le Père
Noël n'existe pas chez
les petits Africains.

En classe maternelle, c'est aujourd'hui la leçon de choses. La maîtresse demande ce que les arbres produisent au printemps.

– Que donne le chêne ?

– Des glands, répond Cyprien.

– Que donne l'érable ?

– Du sirop, dit Hugo.

– Que donne le sapin ?

– Des cadeaux, clame Alissa.

– Des boules de Noël, surenchérit Nathan.

corentin

C'est un p'tit frère ou une p'tite sœur ?

« Moi j'aime bien ma p'tite sœur
Quand elle pleure quand elle pleure…
Moi j'embête mon grand frère
Par derrière par derrière… »
Henri Dès, *Le grand-frère et la petite sœur.*

Bébé est arrivé. Cette naissance est vécue
avec un peu d'angoisse ou une grande joie
pour l'aîné(e), c'est selon. Elle fait se poser
bien des questions et, souvent,
énoncer quelques sentences.

L'infirmière demande à Rahma comment elle trouve son petit frère qui vient de naître :

— Il est un peu joli, mais aussi beaucoup laid.

Mamie est gaga devant son nouveau petit-fils.
À Clément, 6 ans, elle lui dit :

— Tu as de la chance d'avoir un petit frère aussi gentil.

— Si tu veux, je te le donne ! Parce que moi, j'en ai marre qu'il pleure tout le temps !

Alors que Maman est en train de changer Baptiste et de lui saupoudrer les fesses de talc, Mina, 2 ans et demi, demande :

— Pourquoi tu lui mets du sel ?

Le papa de Léa est tout fier d'annoncer à sa fille que
le petit frère qu'il a eu avec sa nouvelle compagne
est arrivé. Il lui dit de venir pour
lui présenter son demi-frère.

– D'accord, mais l'autre moitié,
tu me la montreras quand ?

Jocelyn, 3 ans, regarde sa mère donner le sein au bébé.
Après un certain temps, il demande :

– Pourquoi tu as deux biberons ?
Un pour le lait froid et l'autre
pour le lait chaud ?

CLEMENT

Sur le bureau de son papa, Estelle, 2 ans et demi, découvre une photo de sa maman lorsqu'elle avait un gros ventre. Son père lui explique qu'elle était enceinte et que dedans, c'était elle.

La petite fille se met à pleurer en courant vers sa mère. Entre deux sanglots, elle crie :

— Mais, pourquoi tu m'as mangée, Maman ?

— Maman, je suis née à quelle heure ?

— 3 h 12 très précisément.

— 3 h 12 du matin ? renchérit Claire.

— Oui, ma puce, en plein milieu de la nuit.

— Alors, j'espère que je ne t'ai pas réveillée...

Voyant pour la première fois sa petite sœur téter le sein de sa mère, Liam se penche vers elle et lui dit, énervée :

— Hé toi, t'arrêtes de manger Maman !

Pierre, 3 ans, est en train de se faire habiller quand il désigne le ventre rebondi de sa maman enceinte.

— C'est quoi ça ?

— Ça, c'est ton futur petit frère Bernard.

Puis il montre la poitrine gonflée et demande :

— Et ça ?

— Ça, c'est pour donner à boire au petit frère.

C'est alors que Pierre s'exclame :

— Ah, des gobelets !

Isabelle vient d'accoucher d'une petite Elvina.
Alexandre se penche sur le berceau et
s'exclame :
– Oh, mais elle est déjà toute vieille.
C'est déjà une Mamie.
– Pourquoi tu dis cela ?
– Eh bien regarde, elle est toute ridée
et elle n'a déjà plus de dents !

– Juliette, viens m'aider
à changer ton petit frère.
– Pourquoi, il est déjà usé ?

Lucy

À la sortie de l'école, Maxime raconte à sa
maman que sa copine n'a pas été allaitée.
Intriguée, sa mère lui demande comment
il le sait.
— Facile, elle est tout le temps malade.
Deux minutes plus tard, elle lui dit de fermer
son blouson pour s'entendre répondre :
— Pas la peine, j'ai pas besoin,
moi tu m'as allaité.

L'heureux événement est imminent. Le ventre
de la maman est énôôôrme. Lucie est inquiète
et lance un avertissement :
— Tu ne devrais pas rester debout
parce que le petit frère pourrait
tomber d'un coup dans le pantalon
et il se casserait la tête.

À la mi-mars, Quentin est né un peu plus tôt que prévu. Pour être surveillé et alimenté, le prématuré est placé en couveuse. Au bout de quelques jours, la famille est enfin autorisée à s'approcher. Camille, 5 ans, tire son papa par la manche avant de lui demander à l'oreille sur le ton de la confidence :

— Pourquoi ils ont mis mon petit frère dans un aquarium ?

— ???

— Je sais. C'est parce que tu as dis avec Maman qu'il serait poisson.

La nourrice chauffe le biberon au micro-ondes. Tout étonnée, Charlène s'écrit :

— C'est marrant, le biberon fait « Tournez manège » !

C'est l'heure de la tétée. Anita, 3 ans, observe
la scène avec gourmandise et demande :
– Maman, peux-tu enlever mes dents ?
– Pourquoi donc ? lui demanda-t-elle.
– Moi aussi, je veux boire ton lait !

DAMIEN

Déborah, qui a été sevrée quelques mois plus
tôt, regarde les seins de sa maman avant de
demander s'il y a encore du lait dedans.

– Eh bien non, ma petite
chérie, c'est fini.
– Alors, il faut en acheter,
ouvrir et le mettre dedans !

José, 2 ans et demi, entre dans la salle de bains juste au moment où sa sœur de 13 ans est en train d'enlever son soutien-gorge. Outré, il pointe son doigt vers les seins déjà bien développés de Julie et s'écrie :

– Oh mais t'es une voleuse, c'est à Maman, ça !

Margot observe sa maman chausser les petons de son bébé de frère avec des chaussons en tricots. Puis, elle a cette réflexion :

– Pourquoi tu lui mets des moufles aux pieds ?

Simon, 5 ans, assiste ébahi aux premiers pas de sa petite sœur :

– Maman, regarde ! Elle marche, c'est un humain !

Nathan vient de naître. Entre deux biberons et un somme, il pleure beaucoup. Au bout de quelques jours, sa grande sœur de 2 ans et demi qui, bien sûr, se sent un peu délaissée, pose ouvertement la question :

– Maman, quand est-ce qu'on va le rapporter à l'hôpital le bébé ?

emma

En voiture, Simone !

« Camions sur la route, camions ça fait "prout, prout, prout"
Et des files d'autos, d'autos y en a trop
Restez pas messieurs dames sur le macadam dam dam
Si vous voulez passer, je crie danger… »
Henri Dès, *Camions ça fait prout.*

Fille ou garçon, « totomobile » et « tuture »
les inspirent toujours. Leur esprit roule sur
les chemins de la découverte et de l'émerveillement.
Et la route est un exceptionnel lieu d'observation…
de Papa !

Louis

Le papa de Julie s'est fait arrêter par la police après avoir brûlé un stop. Sa maman lui explique qu'il n'a peut-être pas vu le panneau. La petite laisse tomber cruellement :

— Ou peut-être qu'il n'avait pas vu le policier !

En classe de découverte, la maîtresse demande à ses petits élèves ce qu'est un gland. Hugues lève le doigt et dit très naturellement :

— Un gland, c'est quelqu'un qui ne peut pas avancer quand il est dans sa voiture.

Les oreilles du papa ont dû siffler...

Sur l'autoroute, le papa double la file des camions. Marc-Antoine, son fils de 4 ans, y va de son commentaire à chaque fois qu'il en dépasse un. Sur la couleur, un accessoire, un logo. Puis, voyant un semi-remorque sans remorque, il s'exclame :

– Tiens, un camion qui a perdu son bout !

C'est le même garçonnet qui, la semaine précédente, voyant un superbe cabriolet avait demandé :

– Pourquoi elle n'a pas de « couvercle » la voiture ?

JULIA C

Arrivé à la barrière d'autoroute, le Papa baisse sa vitre. Alors même qu'il tend son ticket à la caissière, Nouria lance un tonitruant :

— Moi, je veux un menu enfant avec un Coca, s'il te plaît !!!

Afin de signaler des travaux et neutraliser une voie d'autoroute, les patrouilleurs ont disposé des cônes rouges et blancs sur plusieurs centaines de mètres. Baptiste, 3 ans, s'exclame :
— Ben, ça alors, il y a plein de chapeaux de clowns tombés par terre.

INES

Sur la route des vacances pour
Saint-Tropez, le soleil tape fort sur
l'autoroute. Malgré le pare-soleil
illustré d'un personnage de dessins
animés, Léa se plaint :
— Pourquoi le soleil ne suit pas
une autre voiture ?

Charlène, qui est restée dans la voiture garée en
double file pendant que sa maman est vite allée
acheter du pain, voit un agent de police arriver.
Elle se penche par la vitre de la portière et lui crie :
— Maman, viens vite,
le gendarme va te mettre
une « noisette » !

Papa est en train de se faire arrêter pour excès de vitesse.

— Je suis cuit ! Le gendarme va me donner une amende.

Vincent, 5 ans :

— Tu me feras goûter, parce que, moi, j'aime bien les *amandes*...

Louis, 5 ans :

— Papa, si tu vas trop vite, la police va te donner une *conversation*.

La voiture est coincée dans les embouteillages. Faute de climatisation, la température monte dans l'habitacle. Manon n'en peut plus et souffle :

— Pfff, je suis trempée de chaud !

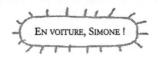
Circulant sur les boulevards des Maréchaux
à Paris, Monsieur dit à Madame que
dorénavant, il va falloir faire attention en
tournant à cause du nouveau tramway.
Quand, de l'arrière de la voiture, une petite
voix moralisatrice se fait entendre :

– On dit pas *tram-ouais* mais
tram-oui !

Mame Penda, une petite Ivoirienne de 6 ans,
attend le retour de son grand-frère qui passe
son permis de conduire. Les heures passent
et la maisonnée retient son souffle quand
Boniface arrive, radieux, agitant son petit
papier rose.
– Ça y est, lui demande la petite fille,
tu as gagné une voiture ?

Un tacot vient de passer dans la rue dans un panache de fumée nauséabonde. Le moteur a laissé fuir de l'huile. Devant une belle et grande flaque irisée, Donatien dit à son copain :
– Je sais ce que c'est. C'est un arc-en-ciel qui s'est fait écraser.

LUCAS

Lors de la balade matinale pour sortir le chien, Sybille, 2 ans et demi, remarque une trace d'huile à l'endroit où une voiture était stationnée. Elle la montre du doigt et se met à rire aux éclats.
– Qu'est-ce qui te rend si joyeuse, ma poupette ?
– Maman, tuture pipi !

Pour distraire de la monotonie de la route,
le papa allume l'autoradio et sélectionne la
fréquence de France Musique qui diffuse un
opéra. La maman se réjouit qu'il soit chanté
par Pavarotti. Lucas, 6 ans et demi :

— Pourquoi tu dis qu'il chante
comme un papa rôti ?

La route est longue, Carine, 5 ans, tue le
temps en regardant le paysage. Longuement,
elle regarde le ciel, ses nuages et les traînées de
condensation blanches laissées par les jets en
altitude.

— Papa, Maman, regardez
comme les avions
égratignent le ciel...

En voiture, Benjamin, 4 ans, entend la sirène et voit le gyrophare. Il est tout excité quand son papa s'arrête pour laisser passer un camion des sapeurs-pompiers.

— Regarde, regarde, les « pimpons » sont sortis de leur *caverne* !

Le tonton de Romain qui est pompier lui offre un beau camion rouge de collection sur lequel est inscrit « sapeurs-pompiers ». Le petit garçon qui ne sait pas encore lire pointe l'inscription du doigt. L'oncle lui lit à voix haute mais cela ne lui convient pas.

— Mais non, ça pas peur un pompier !

Avec ses parents, Arthur a accompagné sa mamie à l'aéroport pour qu'elle passe l'été avec une amie dans le Sud. Pour son retour, en septembre, la petite famille se rend à l'aérogare pour l'accueillir. Arthur demande :

— Eh ben dis donc, Mamie, elle est restée longtemps dans l'aéroport !

En descendant l'autoroute du Sud pour les vacances, après Lyon, les tours aéro-réfrigérantes d'une centrale nucléaire se voient de loin. Ludivine a le nez collé à la vitre :

— Regardez, une usine à fabriquer des nuages !

Clémence

Là, j'tai cassé...
Et double cassé !

« Toi quand tu te moques
Tu n'le fais pas méchamment
Juste un peu l'air de rien
En passant l'air de rien… »
Henri Dès, *Quand tu te moques.*

Avec leur « air de rien » et leur innocence
supposée, nos petits se montrent
d'une implacable lucidité et d'une férocité
qui laissent souvent pantois.
Surtout lorsque leurs remarques sont lancées
à l'impromptu...

ELIE

– Papa, quand je vais être grand, je veux te ressembler, mais avec des muscles !

Guillaume, 3 ans.

Le père de Marina passe des heures devant la télé et dans cette spécialité, il est le roi du zapping. Alors qu'elle vient lui faire un bisou avant d'aller se coucher, la fillette fait tomber la télécommande. Elle la ramasse aussitôt et la lui tend, un peu gênée :
– Tiens, Papa, je te rends ton doudou !!!

– La différence entre les mamans et les papas, c'est que les mamans ne s'assoient pas pour manger le dîner !

Léonie, 4 ans.

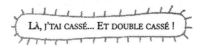

En bricolant, Papy s'est donné un coup de marteau sur le pouce. Quelques jours plus tard, sa petite-fille examine attentivement l'ongle noir puis se retourne vers sa grand-mère :

— Oh Mamie, je crois que tu seras bientôt seule, Papy commence à pourrir !!!

Valentin n'est pas un garçon facile. Sa mère perd patience quand elle est obligée de lui répéter pour la énième fois qu'il ne faut pas faire ceci... ou cela.

— Pour la dernière fois : Valentin, arrête où il va falloir que je crie.

Et le sale gosse de répondre sur un ton léger :

— Eh bien moi, il va falloir que je pleure...

– Alexia, enlève ton doigt du nez,
sinon tu auras un gros nez !
– Comme le tien, Tonton ? Et peum !

alexia

À l'école, Mariam, 7 ans, vient d'apprendre le
mot « bredouille ». Le soir, Papa vérifie qu'elle
a bien compris le sens du mot.

– Dis-moi, si je vais à la
pêche et que je n'attrape
aucun poisson, on dit
que je suis... ?
– Nul ! répond Mariam.

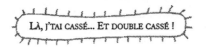
Dans le parc où il tape le ballon avec ses petits copains, Hicham voit un couple de jeunes mariés prendre la pose pour des photos.
Il délaisse le foot quelques instants pour demander à son papa :

– Qu'est-ce qu'ils font le monsieur avec la princesse ?

– C'est un couple qui vient de se marier. Ils se font prendre en photo pour avoir un beau souvenir.

– Ah oui, et après ils feront plein de bêtises.

Interloqué, le père demande à son fils pourquoi il pense cela.

– Ben, c'est bien ce que tu as fait avec Maman !

Après avoir bien joué avec son petit canard
dans la baignoire, Latifa, 4 ans, sort du bain.
Avec un frisson, elle trouve que son papa
ne la sèche pas et ne l'habille pas assez vite.
— Papa, j'ai froid.
— Oui, chérie, je me dépêche.
— Alors, arrête de te dépêcher doucement !

Clément, 3 ans, a sommeil et se met à bâiller.
Son papa le reprend gentiment :
— Tu sais, il faut mettre
sa main devant sa bouche
quand on bâille.
— Mais, je ne bâille pas,
j'aère ma bouche !

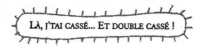

Mario n'a que 6 ans mais il montre déjà une certaine causticité. Aussi, quand il voit sa grand-mère porter, pour la première fois, une jupe au niveau du genou alors qu'habituellement toutes ses robes lui arrivent aux chevilles, il s'exclame :

— Mais Mamie, tu as mis tes jambes ?

Blandine, 3 ans, a la chance d'être née dans une famille issue d'un milieu bien mis où la tradition accorde une grande importance au repas dominical réunissant toute la famille. Son papa a toujours fait des efforts pour plaire à son épouse en ménageant la mère de celle-ci. Hélas, il doit répondre de sa fille...

— Belle-maman, voulez-vous du vin ?

— Mais, Papa, pourquoi tu dis qu'elle est belle alors que c'est même pas vrai ?

– Maman, je t'aime gros comme le ventre de Papy.

Nath', 5 ans.

Alors qu'elle vient de rejoindre son papa et sa maman dans leur lit, un jour de grasse matinée, Bénédicte saisit les lunettes de son père qui se trouvaient sur la table de chevet. Elle les lui tend en criant bien fort :

– Tiens, Papa, mets tes yeux pour voir clair...

MANON

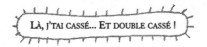

Pour ses premières vacances loin de la ferme familiale, Gaston part aux Antilles avec ses parents. À l'aéroport du Lamentin, quand les portes de la salle d'arrivée s'ouvrent sur les familles des passagers, le petit garçon de 4 ans montre du doigt et s'exclame :

– Regardez, ici, y a que des hommes en chocolat !

En sortant d'un magasin de jouets, Corentin affiche un air arsouille. Sa maman, qui se doute qu'il y a anguille sous roche, lui demande :

– Qu'est-ce que tu as dans la main ?

Sans se démonter, le gamin lui lance :

– Ben, des doigts, pardi !

Thomas, 5 ans, vient de se faire gronder très fort après une grosse bêtise. Il pleure comme une madeleine et essuie ses grosses larmes avec son mouchoir qu'il étale ensuite sur un radiateur.

– Qu'est-ce que tu fais ?

– Tu vois bien, je fais sécher mon chagrin.

Charles est un enfant gâté. Il lui faut tout ; et rien n'y personne ne doit lui résister. Passant devant la vitrine d'un magasin d'électronique, il repère la dernière console de jeux à la mode. Il la pointe du doigt et exige :

– Papa, achète-moi ça !

Plutôt que de se lancer dans d'interminables discussions sur le besoin de mériter les choses et leur valeur, il préfère couper court :

– Je n'ai pas d'argent.

Charles ne s'en laisse pas compter :

– T'as qu'à en acheter au distributeur !

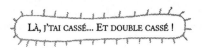
Dans le train bondé qui emmène toute
la famille en vacances, Aymeric lâche
soudainement un pet que personne ne peut
ignorer. Gênée, sa maman lui demande
ostensiblement ce que l'on doit dire dans ces
cas-là. Très naturellement et avec détachement,
il lui répond :
– Ce n'est pas moi !

Maureen est au cirque. Elle rit avec les clowns,
elle frissonne lors du numéro de domptage et
retient son souffle quand les trapézistes se lancent
dans le vide. Lorque vient le numéro du lanceur
de couteaux, on aurait imaginé qu'elle ait peur
pour la jeune femme attachée sur la planche.
Au lieu de cela, la petite peste s'écrie :
– Raté, raté, encore raté ! Il est vraiment
nul, celui-là !

m. penda

Yann, 6 ans, rejoint son père dans son bureau
où il remplit sa déclaration d'impôts et lui
demande ce qu'il est en train de faire.

— Pour faire simple, c'est pour
envoyer de l'argent au président
de la République pour qu'il
construise des écoles ou des
routes.

Yann fait la moue :

— Pourquoi tu lui envoies de
l'argent, il ne peut pas travailler,
le président ?

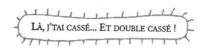

À 6 ans, les jumeaux sont des terreurs qui ont largement dépassé le nombre des 400 coups. Au square, ils se plantent devant une petite fille du même âge. Ils lui mettent le marché en main :

– À partir d'aujourd'hui, tu nous donneras ton goûter tous les jours, sinon...

– Sinon, quoi ? demande la petite fille.

– C'est bien simple, on envoie un fax au Père Noël, pour lui dire que tu n'existes pas.

CLARA

Lors de la grande réunion de famille qui a lieu tous les étés dans le manoir, frères et sœurs, cousins et cousines sont ravis de se retrouver. Après avoir immortalisé en photo, comme le veut la tradition, toute la dynastie sur le grand escalier, on s'amuse, on rit et on discute beaucoup. Lors d'un goûter, la conversation vient sur l'envie de perpétuer et d'élargir encore cette grande famille. Juliette se voit demander par sa maman combien d'enfants elle voudrait avoir quand elle sera grande.

– Moi ? Aucun !

Aussi péremptoire, la réponse de la petite fille surprend et fait l'objet d'une demande d'explication.

– Parce qu'ils crient et pleurent tout le temps. Et puis, ils se disputent et font la comédie...

– Eh bien, Juliette, si nous avions pensé cela avec ton père, tu ne serais pas née.

Du haut de ses 6 ans, la gamine ne s'en laisse pas conter :

– Ah, ça, c'est bien fait pour vous. Fallait faire comme moi et réfléchir avant !

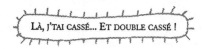

Entre autre jouet, Lucas a un téléphone factice. Il est convenu que sa maman fasse semblant de l'appeler pour lui demander de passer à table. Un soir, elle s'amuse à lui « téléphoner » pour lui dire qu'il est l'heure d'aller au lit. C'est alors qu'il répond :

– Désolé, madame, je crois que vous avez fait un faux numéro...

Thomas, 4 ans, se promène avec sa nounou quand il croise une dame à forte poitrine.

– Oh la la, la dame elle attend des jumeaux !

ARTHUR

Avant de sortir pour faire la fête, la maman de Bouzid – qui n'aime pas passer inaperçue – s'apprête. Choix de la robe, essayage des bijoux fantaisie puis maquillage. À ce moment-là, le petit garçon entre dans la chambre.

– Maman, tu te déguises mal.

Pour le mariage du cousin, les invités de la noce se retrouvent à l'heure dite devant l'Hôtel de Ville, superbe bâtiment du XVIIIe siècle. Pourtant, après avoir lu l'enseigne gravée dans la pierre, Justine lâche sévèrement :

– Ils auraient pu se marier ailleurs. Il ne doit pas être bien cet hôtel, il n'y a aucune étoile !

Au parc, une vieille dame s'approche de Mathieu, 3 ans, qu'elle adore « tellement-il-est-mignon-avec-sa-bonne-petite-bouille-de-fripouille ». Elle lui tend les bras en l'interpellant :

— Mon petit lapin, viens me faire un gros bisou.

Mathieu fait la grimace :

— Ah non, tu piques !

La tempête est là. Le vent souffle en rafales. Le voisin, un vieux monsieur chauve, vient toquer à la porte pour demander de l'aide afin de mettre à l'abri des objets encombrants. Killian ouvre la porte et ne peut s'empêcher de dire :

— Oh la la, à cause du vent, tous tes cheveux se sont envolés !

Papa bricole dans son atelier avec, dans les pattes, Tom, 7 ans, et Julia, 4 ans. Soudain, il lance :

— Ah non ! Tom, je ne veux pas que tu prennes le marteau, tu risques de te faire mal.

— Mais non, je te promets que c'est Julia qui va tenir les clous...

Louis et Vincent ont dépassé le stade de la chamaillerie et en sont à celui de la franche algarade. Le père est contraint d'intervenir.

— Les garçons, ça suffit maintenant ; sinon je vais en prendre un pour taper sur l'autre.

Et Louis confirme sa réputation de plus filou des deux :

— D'accord, tu me choisis et je vais taper sur mon frère..

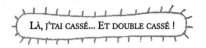

Papa et Maman vont divorcer. Il faut l'expliquer aux enfants.

– Les garçons, si on se sépare, c'est parce que nous ne nous entendons plus.

De concert, ils conseillent :

– C'est simple, si vous êtes sourds, vous z'avez qu'à parler plus fort !

Corentin

J'ai pas peur des bêtes mais j'aime pas les araignées !

« Ah si j'avais un éléphant !
Pas un jouet, un vrai, un grand
Avec deux longues dents
Et une trompe sur le nez... »
Henri Dès, *Un éléphant.*

Les animaux sont les grands amis des enfants.
En peluche dans le berceau, de chair et de poils ensuite.
Chiens, chats, lapins sont d'une extraordinaire patience
et plein de prévenances à l'égard de nos petits
garnements comme si nos amies les bêtes semblaient
les comprendre mieux que quiconque...

Avec ses parents, Clément, 5 ans, est allé voir les chèvres dans une ferme. Les bêtes sont nombreuses et chacune a un numéro clipsé sur l'oreille. Le petit se montre compatissant :
– Ils auraient quand même pu enlever le prix !

De retour du Salon de l'agriculture où il est allé avec le centre aéré, Zinedine fait le compte rendu à son père.
– Papa, j'ai été à la grande ferme, j'ai vu des cochons, ils faisaient le même bruit que toi quand tu dors !

raphaël

Vincent, 3 ans et demi, avait très peur d'un chien venu le renifler avant de lui lécher les mollets.

— N'aie pas peur, lui dit son grand-père. Il ne te mangera pas.

— Alors pourquoi il me goûte d'abord ?

Fiona et sa maman font les courses. Devant la boucherie, la petite fille aperçoit la rôtissoire de volailles. Et de s'exclamer :

— Woah, un manège à poulets !

— Moi, je sais, les bébés chèvres s'appellent les cabrioles !

Amandine, 4 ans.

Lors d'une promenade en voiture, Franck
regarde le paysage :
– Regarde, Maman, il y a des *chevals* là-bas.
– Non, on dit chevaux car il y en a plusieurs.
– Oui, mais là, y en a qu'un ! Et un autre
dans le pré d'à côté.

En roulant sur une route du bocage normand,
Chloé voit de nombreuses vaches du cru
brouter paisiblement. Et d'attirer l'attention
de ses frères assis à côté d'elle.

– Regardez par là, il y a
plein de vaches *dalmatiens*.

Dans l'atelier de son grand-père, Alexandre regarde patiemment une araignée tisser sa toile. En la voyant monter et descendre pour faire son fil, il s'exclame :
— Papy, l'araignée fait Fort Boyard !
Elle fait du saut à l'élastique...

Corinne, seulement 4 ans, est au zoo avec sa maman et ses trois sœurs. Elle aperçoit un peu plus loin un paon qui fait la roue et rameute son monde :
— Maman, Maman, il ouvre son parapluie.

— Un beau cygne blanc, c'est un canard habillé en mariée.

Mansour, 6 ans.

De retour d'une semaine passée à la ferme de ses grands-parents, la petite Émilie raconte à sa mère ce qui l'a le plus intéressée.

— Maman, tu sais ce qu'elle a fait Mamie ? demande-t-elle avec de grands yeux ronds.

— Non, dis-moi.

— Eh ben, elle a pris une poule. Elle l'a mise sous son bras et elle l'a déshabillée !

La maîtresse :

— Qu'est-ce qu'un oiseau migrateur ?

Reine, 5 ans :

— C'est un oiseau qui ne peut se gratter que la moitié du dos.

– Cet été à la mer, j'ai couru sur la plage après une *miette*, mais elle s'est envolée en criant...

Camille, 4 ans.

Dans une animalerie, la petite Emma voit pour la première fois des poissons dans un aquarium.

– Pourquoi ils nagent tout le temps ?

Avant même que ses parents ne lui répondent, son grand-frère énonce d'un ton docte :

– Pour ne pas se noyer !

Dialogue surpris devant la boulangerie où deux enfants attendent leurs parents partis acheter du pain.

— Il est drôle ton chien. Qu'est-ce que c'est ? demande Hans.

— Un sharpei, répond la fille, pas peu fière.

— Si tu veux, je vais demander à ma maman qu'elle le repasse ton chien. Comme ça, il sera tout beau !

Avec sa mamie, Eliott feuillette un livre d'animaux.

— Et ça, vois-tu, c'est un kangourou.

— Ah oui. Mais pourquoi il met son bébé dans son slip ?

– Moi je sais que le petit de la poule, c'est le poulain !

Céleste, 4 ans et demi.

Avec son papy, Louis promène le chien. Soudain, un chat passe et l'animal lui court après. Malgré les rappels à l'ordre, le chien ne s'arrête pas, s'engage sur la route au moment où une voiture surgit et il passe sous les roues… Alors que le grand-père est catastrophé, Louis explique avec assurance :

– Bon ben, il faut amener le Boubou à l'hôpital pour lui recoller les os !

Jame et Julien sont toujours en compétition, à l'école comme au square ou durant les activités extra-scolaires. Ce jour-là, ils promènent chacun leur chien et, inévitablement, comparaison et rivalité ne tardent pas à animer la rencontre.

Jame se vante le premier :

– Mon chien, il n'est pas comme les autres. Il a un pedigree.

– Un pedigree ? C'est quoi ça, lui demande Julien.

– C'est un arbre généalogique pour chiens, lui rétorque James avec suffisance.

– Pfff ! souffle Julien. Le mien, il est moins difficile, il fait sa pisse contre n'importe quel arbre !

Mathieu

– Le grand oiseau qui pond des œufs géants s'appelle l'Autriche.
Maxime, 5 ans et demi.

– Pourquoi le chat a-t-il quatre pattes?
– Les deux de devant sont pour courir, les deux de derrière pour freiner.
Mathieu, 5 ans.

– Le cochon s'appelle un porc parce qu'il est dégueulasse.
Théo, 6 ans.

– Le daim, c'est le petit de la dinde !

Margaux, 4 ans.

– Le fer à cheval sert à porter bonheur aux chevaux quand ils font des courses.

Mathis, 7 ans.

Clémence

– Il y a le papa singe, la maman singe et les bébés singes qu'on appelle les singeries.

Lohan, 4 ans.

– Les petits de la jument s'appellent des jumeaux.

Léa, 5 ans.

– Maman, est-ce que j'ai le droit de dire « chiotte » ? demande la petite Lara.
– Ah non, répond la mère qui pense, elle, au « petit-coin ».
– Mais alors, comment je fais pour dire un bébé chien qui est une fille ?

Marie-Ève, 4 ans et demi, agace le chat.
Exaspéré, le félin finit par sortir ses griffes.
– Oh, oh, regardez les dents de ses pattes !

Ce jour-là, Didier joue dans le jardin du voisin avec leur chien. Ses parents le mettent en garde :

— Fais attention avec le chien ! Tu as vu ses dents ? Tu vas te faire mordre.

Bien sûr, Didier n'arrête pas et provoque le toutou. Les choses se gâtent quand le petit garçon ne veut pas rendre l'os en plastique : le cocker a un mouvement de mauvaise humeur. Grognement, babines plissées et crocs apparents. Papa et Maman accourent pour découvrir leur petit nullement intimidé :

— Y a qu'à faire comme pour Mamie et lui enlever les dents !

Un petit bout de campagne en Bretagne. Une ferme où la petite famille se rend tous les ans pour que les enfants découvrent les animaux autrement qu'en fréquentant les allées embouteillées du Salon de l'agriculture.

Il y a là des moutons « qui portent un pull-over parce qu'il fait froid », des poules « qui font des zeufs », des « chevals »...

Juste après la mise à bas, la vache est encore en train de nettoyer son petit à grands coups de langue. Mathis, qui jusque-là avait observé la scène avec une bouche aussi ronde que ses yeux, s'exclame soudain :

— Maman, regarde... Le bébé est tout neuf. Il a encore son emballage !

SAMANTHA

Émilien, 7 ans, observe un ver de terre
dans une flaque laissée par la pluie :
– C'est plus un ver de terre,
c'est un *verre* d'eau !

– Les *sandales matiens*,
ce sont des chaussures noires
et blanches. »

Amandine, 2 ans et demi.

Jason et Dylan jouent au square. Dans les buissons,
ils ont découvert un escargot chacun. Puis le grand
frère a une idée :
– Et si on faisait une course ?
– N'importe quoi, tu sais bien que c'est
nous qui vont gagner, rétorque le petit.

— Le mâle de la chèvre, c'est le chevreuil.

Emma, 6 ans.

— Le petit de l'âne est le hanneton !

Édouard, tout juste 4 ans.

Guillaume, 3 ans, en montrant un pélican :
— Tu sais, Maman, c'est l'oiseau qui a une épuisette.

— Quand on s'assoit sur un cheval avec une jambe de chaque côté c'est à *califourchette*.

Marie-Ange, 3 ans.

— Le serpent qui fait du bruit, en agitant le bout de sa queue, c'est le serpent à *clochettes*.

Sambou, 5 ans.

Confortablement installée dans le canapé, Pauline, presque 3 ans, regarde un dessin animé à la télévision quand son chat vient se lover contre elle. Après quelques caresses, le matou prend ses aises et se met à ronronner.

— Papa, viens voir, Jojo fait de la moto comme toi !

Léa, 4 ans, et sa maman se promènent dans un parc après un orage qui a laissé de belles flaques çà et là. La fillette tire sur la main de sa mère et lui montre de son petit doigt des oiseaux qui ont le bec dans l'eau.

— T'as vu les oiseaux là-bas, ils buvent.

— Non, ma chérie, on ne dit pas « ils buvent » mais « ils boivent ».

— Ah bon, dit la petite fille qui s'élance vers les oiseaux en leur lançant :
Boivez ! Boivez !

Au milieu de la ferme, il y a un puits où le paysan puise de quoi désaltérer les animaux qui traînent dans la cour. Luigi n'a que 4 ans mais il sait déjà ce qu'il veut :

— Beurk, moi, je préfère l'eau du *gros minet*.

À la maternelle, il est aujourd'hui question des animaux. En moyenne section, la maîtresse demande d'abord ce que fait le chat.

— Il miaule, s'empresse de répondre Rosetta.

— Que fait le mouton ?

— Il bêle.

— Et le loup ?

— Il mange le mouton !

— Les bébés souris s'appellent des souricières.
Louise, 5 ans et demi.

— Les araignées, elles fabriquent des étoiles d'araignées.
Lili, 5 ans.

Le pépé n'a plus que quelques dents et les rares qui lui restent sont jaunies par des années passées à fumer des cigarettes maïs. Et il n'a pas l'hygiène de son petit-fils qui se brosse bien les dents après chaque repas. Aussi, quand Louis se retrouve sur ses genoux pour écouter la même histoire pour la énième fois, il ne peut s'empêcher :

– Tu sais, Pépé, la *baleine* de ta bouche sent mauvais !

tatiana

Après l'hiver, c'est l'été.

« C'est l'été faut en profiter
Pour bien regarder
La nature.

Et crois-moi
C'est plus beau que
La peinture. »
Henri Dès, *La nature.*

Dans la nature, leur esprit vagabonde.
Les sollicitations sont multiples et variées.
Tout est source d'inspiration et les
commentaires sont forcément... « nature » !

– Le printemps, c'est quand la neige fond et qu'elle repousse en gazon.

Irina, 5 ans.

À Sallanches, non loin du mont Blanc, l'hiver touche à sa fin. Le petit Julien creuse la neige avec sa pelle. Quand il arrive à l'herbe, il s'écrie :

– Maman, j'ai trouvé l'été !

Abdel, 3 ans, voyant la neige tomber pour la première fois, s'était écrié :

– Oh, regarde, Maman, il pleut du yaourt !

En hiver, en Lozère, Renée regarde tomber la neige par la fenêtre et s'exclame...
— Tiens, aujourd'hui il pleut blanc.

Dorothée, 4 ans, a une autre explication :
— **Maman, Papa, venez voir : les nuages perdent leurs plumes !**

Océane, 3 ans, voyant le soleil entouré de brouillard dit :
— Oh, le soleil a oublié d'enlever sa robe de chambre.

L'orage est passé mais le ciel est encore lourd. Papy propose une promenade et demande à Boris, 5 ans, d'enfiler son ciré et de chausser ses bottes. Dans ces moments-là, la nature a une odeur particulière et il fait un peu moite. L'horizon est encore chargé d'une couleur qui hésite entre le gris et le violet. Un fond idéal pour la palette de couleurs de l'arc-en-ciel dont le demi-cercle est parfait.

– C'est beau, on dirait ma boîte de crayons-feutres.

Sa tatie demande à la petite Électra :
– Que voit-on la nuit quand on regarde en l'air ?
– Des fleurs !
– Tu es sûre ?
– Ben oui, les étoiles sont les fleurs du ciel !

Un avion passe dans le ciel encombré d'étoiles.
Ann-Liz, 5 ans, tend le doigt :

– Regardez, y a une étoile
qui est en panne. Elle
n'arrête pas de clignoter.

ANN-LiZ

Mamie demande à son petit Léo :
– Comment s'appelle la grappe de
bananes suspendue au bananier ?
Et le garçonnet de répondre en se léchant les
babines :
– Le banania ! Et j'adore.

Amélie est une petite Canadienne de 5 ans.
Elle a l'habitude de voir ses parents déblayer
devant la maison.

— La souffleuse qui ramasse la neige
l'hiver, c'est pour faire venir le printemps.

— Au printemps, quand les feuilles poussent,
c'est que les arbres se réveillent.
Léa, 6 ans.

Marion, qui a presque 4 ans, regardait par la
fenêtre de chez sa mamie. Comme il y avait
beaucoup de vent, les peupliers en face de la
maison bougeaient dans tous les sens. Et la
petite fille de s'exclamer :

— Oh, oh, les arbres se disputent...

Ce week-end-là, il avait beaucoup plu, puis le vent avait soufflé fort. Ce qui avait inspiré Zazie…

– Arbres contents. Ils avaient soif. Ils sont contents parce que maintenant ils dansent.

Sacha

Après avoir admiré la nature lors de l'été indien qui transforme le Canada en palette de couleurs chatoyantes, l'automne en France paraît bien triste pour Léonard. Quand les premières feuilles tombent dans le parc, derrière l'école, il se précipite :

– Regarde par terre, il y a plein de feuilles de sirop d'érable.

La maîtresse demande :

– Qui sait ce que sont les volcans ?

Lucien, 3 ans et demi, répond :

– Les volcans sont des montagnes qui font atchoum.

Après avoir donné la bonne explication, elle poursuit :

– Qui peut me dire ce qu'est un lac ?

Émeline lève le doigt :

– Un lac, c'est une île à l'envers.

Alors que Méryl cueille des framboises, le ciel se fait menaçant. Sa mère lui demande de rentrer avant qu'il ne pleuve.

– Comment tu sais ça, Maman ?

– Le vent s'est levé parce que l'orage arrive, lui répond-elle.

– Mais non, s'il y a du vent, c'est parce que la terre tourne trop vite.

vincent

Chers Papy et Mamie chéris...

« Quand il est temps de quitter
Grand-Maman
Elle nous fait des p'tits baisers
En partant.
Grand-mère bécote
Elle sent le savon
En plus elle picote
Dessous le menton. »
Henri Dès, *Grand-Maman.*

Quand les p'tites têtes blondes discutent avec les cheveux blancs, l'ingénu rencontre la sagesse. Et les « anciens » retombent en enfance...

charlize

— Les grands-mères, c'est des mamans à la retraite !

Anaïs, 4 ans.

Capucine feuillette avec son frère l'album de photos du mariage de ses grands-parents.
— Regarde, c'est Mamie quand elle était neuve !

Mélanie, 5 ans, demande à sa grand-mère l'âge qu'elle a. Celle-ci lui répond qu'elle est si vieille qu'elle ne s'en souvient plus.
La fillette ne s'en laisse pas compter :
— Tu n'as qu'à regarder l'étiquette de ta petite culotte. La mienne dit que j'ai 5-6 ans.

— Mamie, hein que ta maison est très fragile ?
— Ah bon, pourquoi tu dis ça ?
— Ben oui, on n'a le droit de toucher à rien...

Tom, 5 ans :
— Mamie, avant d'être dans ton ventre, Maman elle était où ? Dans ton cœur ?

— Tout le monde devrait essayer d'avoir une grand-mère, surtout ceux qui n'ont pas la télé. Ça aime distraire les enfants !
Mathis, 6 ans.

— Une mamie, elle n'a pas d'enfants, c'est pour ça qu'elle aime les enfants des autres.
Léa, 5 ans.

Sur le canapé, Papy Jean a enlacé son petit-fils et lui lit une histoire. Le petit garçon cesse de regarder le livre pour observer son grand-père.

— Papy, pourquoi tu n'as plus de cheveux sur la tête ?

— Parce que, en vieillissant, je les ai perdus.

— Dis-moi où. Je vais t'aider à les chercher !

— Les papys et les mamies sont les seuls adultes qui ont tout le temps.
Théo, 6 ans et demi.

Papy a une belle chevelure blanche de patriarche.

— C'est bientôt Noël, les chéris.

— Ça on sait, Papy, tu as déjà plein de neige dans les cheveux !

— Quand ma Mamie a eu de l'arthrite et qu'elle ne pouvait plus mettre de vernis sur ses doigts de pieds, mon grand-père le faisait pour elle. Et comme il l'aimait très fort, même après, quand il avait aussi des *rumatises* dans les mains.

Ça c'est l'amour.

Jamel, 6 ans et demi.

– Mamie, je t'aime tout le temps.
Même entre les secondes.
Jamie, 5 ans.

– Moi, je sais que les grands-mères
ne sont pas aussi malades qu'elles
veulent bien le dire, pour qu'on les
aime... même si elles meurent plus
souvent que nous !
Anaël, 6 ans.

Étienne, 5 ans, observe sa mémé qui insère de
nouvelles piles dans son appareil auditif avant
de l'interpeller :
– Hé, t'es comme mon soldat de
guerre, tu marches avec des batteries !

Au square, un pépé donne des bonbons et des
sucettes à qui veut bien lui faire profiter de sa
compagnie.
– Édouard, qu'est-ce qu'on dit ?
demande sa maman qui assiste à la scène.
– Encore !

– Les Mamies, elles savent
qu'on a toujours besoin d'un
deuxième morceau de gâteau
ou du plus gros.

Dans une autre discussion, Massimo est fier de lancer une invitation :

— Mercredi, vous viendrez à ma maison pour jouer au « papy-foot » que j'ai eu comme cadeau.

Maud, 3 ans, commence à apprendre l'écriture.
Après l'école, sa mamie lui a demandé :

— Avec quelle main tu écris les lettres ?
— Avec ma mienne !

Papy tient Julie sur ses genoux et s'enquiert de ses progrès à l'école :

— Tu es bien futée, ma petite fille. Tu dois être la première en classe.
— Ben, non. Tu sais, Papy, avec le bus scolaire, on arrive tous en même temps à l'école.

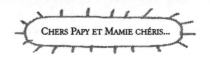

William se lève pour faire pipi. Quand il ouvre la
porte de la salle de bains, il surprend son arrière-
grand-mère en train d'ôter son dentier et de le placer
dans un verre. Le lendemain midi, lors du repas
familial, la vieille dame joue des mâchoires pour
pouvoir mastiquer correctement quand William lance :

— Est-ce que vous saviez que Mémé était chauve des dents ?

L'éclat de rire est général. La grand-mère, qui est
aussi un peu dure de la feuille, finit par se rendre
compte qu'il se passe quelque chose. Pour en être
sûre, elle demande :

— Commeeeent ?

William se tourne vers elle et ajoute :

— Et même qu'après, tu bois tes dents !

MARIUS

Une vieille tante âgée de 70 ans passe saluer la maisonnée avec quelques bons gâteaux de sa confection. Les enfants jouent tranquillement dans le coin de la pièce, quand soudain l'un d'entre eux demande :

– Dis, Tante Julie, tu n'as pas d'enfant ?

– Non, Pierre, je n'ai pas d'enfant.

– Et tu n'en auras jamais ?

– Non, mon petit, je ne peux pas en avoir.

C'est alors que Pierre se retourne vers son frère Sébastien et lui dit :

– Tu vois, je te l'avais dit, notre Tata est un homme !

mélissa

— Quand une Mamie lit des histoires, elle ne saute jamais un bout et elle n'a rien contre si on lui demande de recommencer la lecture plusieurs fois.
Capucine, 5 ans.

Dans le bahut qui trône dans la pièce principale de la maison de la famille, Tessa découvre de vieux disques 78 tours.
— Oh, j'ai découvert un grand CD !

La grand-mère lit une poésie à sa petite-fille quand Marine l'interrompt soudainement :
— Mais, Mamie, pourquoi t'as pas appris à lire sans lunettes ?

C'est l'heure des devoirs. Papy, qui adore les charades, tente l'expérience pour expliquer et faire apprendre les mots à sa petite Rosalie.

Papy : Mon premier est la première lettre de l'alphabet.

Rosalie : A !

Papy : Mon deuxième est ce qui coule quand on se coupe.

Rosalie : Sang !

Papy : Pour le troisième, on va faire simple, Jessica n'est pas ton frère, c'est ta...

Rosalie : Sœur !

Papy : Et mon tout sert à monter et à descendre...

Rosalie : Une échelle !

— Une vraie grand-mère ne frappe jamais un enfant, elle se met en colère en riant.

Faustine, 6 ans et demi.

Le sémillant grand-père de Naêl lui explique qu'il a été élu maire de sa commune.

— Super, Papily. Maintenant que tu es le chef du village, je vais dire à tous mes copains que c'est toi le grand Schtroumpf !

Louise commence à savoir compter. Elle s'aide de ses doigts pour additionner. En voiture, elle demande à sa grand-mère :

– Mamie, ça fait combien 6 et 5 ?

– 11, ma chérie.

Louise est surprise :

– Ben dis donc, tu es forte. Tu n'as même pas enlevé les mains du volant !

Juliette, 3 ans, qui participe à un spectacle de magie s'adresse au magicien :

– Moi, ma Mamie aussi, elle fait de la magie.

Le magicien lui demande quel tour elle exécute et la petite fille lui répond :

– Elle sait comment faire disparaître ses dents le soir et les faire revenir le matin !

Alors que sa grand-mère lit un livre, Aurélien,
5 ans, demande :
– Mamie, tu fais quoi ?
– Je lis.
– Oui, mais je ne t'entends pas.
– C'est parce que je lis dans ma tête.
Aurélien s'approche tout près de sa mamie
et colle son oreille sur sa tête.
– Mais qu'est-ce que tu fais ?
– Ben, je t'écoute !

MAXIME R

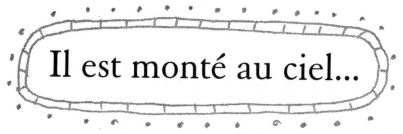

Il est monté au ciel...

« Je t'appelle réponds-moi
Allô allô pépé
J'aim'rais tell'ment te parler
Te dire mon petit secret
Alors pourquoi pourquoi
Ne me réponds-tu pas
J'ai des larmes dans mon cœur
Dans mon petit moteur. »
Henri Dès, *Allô Pépé.*

La mort plonge les adultes dans
une profonde affliction, les enfants restent sereins.
La vision qu'ils ont de la mort est celle
d'une continuité et non d'une fin. Ils semblent
ne pas la subir comme nous. Par ignorance sans doute.
Par générosité d'âme sûrement.

Laurent, 5 ans, est venu à l'hôpital voir son grand-père qui ne va plus très bien. Il l'embrasse et sans détour lui demande :

— Papy, est-ce que mourir… c'est obligé ?

L'arrière-grand-mère est très malade. Papa explique avec délicatesse que, bientôt, Bonne-Maman ira au ciel. Louise, 5 ans, réfléchit quelques instants et lance cette mise en garde :

— Si elle meurt dans sa maison, elle ne pourra pas monter au ciel à cause du plafond !

— Maman, quand tu seras au ciel, je viendrai te chercher sur mon tapis volant.

Samuel, 6 ans.

— La mort, c'est comme quand tu dors, mais tu ne fais plus de rêves.

Gaëtan, 6 ans et demi.

L'école maternelle de Louisette est située près d'un cimetière. Dès les premiers jours de la rentrée, elle se rend compte que l'endroit est particulier jusqu'à demander ce que c'est.

— Un cimetière, lui explique sa maman.

Et Louisette de reprendre :

— C'est comme un parking pour les morts ?

LUCAS

Mamie vient de mourir et tout le monde est triste. Sauf Claire qui n'a que 4 ans. Elle va voir son grand-père et lui dit avec un grand sourire :

— T'as tellement de chance, toi ! T'es si vieux que tu vas mourir bientôt et tu seras le premier à la voir.

— À l'enterrement de Mémé, les gens étaient tellement tristes qu'ils avaient des gouttes de peine qui leur coulaient au bout du nez.

Barbara, 6 ans et demi.

– Mon papa est parti au ciel et, quand il y a du vent, c'est lui qui m'envoie plein de bisous.

Olivia, 7 ans.

Cela fait un an que le grand-père de Clara, 4 ans, est décédé. La famille se recueille à l'occasion d'une messe avant de se retrouver dans la salle à manger de la grande maison familiale à Saint-Malo. Au dessert, la petite fille demande avec candeur à sa mamie :
– Faut en garder une part pour Papy. Ce sont les anges qui vont lui apporter son gâteau d'anniversaire au ciel.

Diane, 6 ans, est confrontée à la mort de sa tante qui a succombé à une longue maladie. Au fil des semaines, la petite fille l'a vue souffrir et dépérir, pour finalement s'éteindre. Aussi, le jour où sa tata s'en va, elle exprime un souhait :
– Si je peux, je préférerais mourir de mon vivant...

Titof, 4 ans, regarde le médecin ausculter sa vieille tante qui ne cesse de cracher et d'avoir une toux grasse. Tout à trac, il demande :
– Docteur, est-ce que tu soignes aussi les morts ?

vuejma

Coiffé d'un petit béret pour se protéger de l'humidité du brouillard qui baigne le village ce matin-là, Louis marche derrière une « voiture-comme-l'ambulance-mais-en-noir ». Sa petite main est bien au chaud dans celle de son grand-père qui marche d'un pas lent pour respecter les petites foulées de l'enfant. À moins que cela ne soit pour retarder le moment où sa Maryse chérie ira rejoindre cette terre qui lui avait donné tant de belles fleurs. Elle aimait le raconter au petit Louis et n'était pas peu fière de lui montrer combien elles grandissaient, comme lui. Le cortège funèbre arrive enfin au bord de la fosse. Louis ne paraît pas triste, semblant imaginer que planter sa Mamie dans la terre lui permettra de refleurir, elle qui avait la peau des mains si fanées. C'est alors que Louis lève les yeux vers son grand-père et lui demande :

– Dis, Papy, quand on est mort, ça dure toute la vie ?

Le jour de la Toussaint, alors que le petit Jean accompagne sa mère chez le fleuriste :
– Maman, c'est aujourd'hui qu'on va voir ton papa au jardin des morts ?

Florian vient de perdre sa mamie dont le passe-temps, après s'occuper de ses petits-enfants, était le tricot. Comme ses cousins, hormis les pantalons, le petit garçon a été habillé de pied en cap en laine, coton ou mohair.
– Maintenant que Mamie est au ciel, elle tricote encore des pulls.
– Ah oui ? dit une amie de sa maman, des pulls comment ?
– Ben, des pulls en nuages !

Après les vacances de Pâques, à l'entrée de la classe, la maîtresse a collé une petite affiche pour signaler qu'une élève a perdu son papa dans un accident de la route. Durant la classe, avec précaution, elle explique la raison pour laquelle Marie est absente.

Le soir, à la sortie de l'école, Louise demande à sa mère :

— Dis, Maman, être mort, ça dure combien de temps ?

— Pourquoi ?

— Pour savoir combien de temps Marie va être malheureuse.

Nicolas

Jordan effectue son baptême de l'air à bord
d'un petit avion au-dessus de Lausanne,
il admire le paysage par le hublot, puis se
tourne vers l'éducateur qui l'accompagne
et lui demande :
— Dis donc, quand on est mort,
on va aussi haut ?

— Quand on est mort, on
nous met dans une grande
boîte en bois, on la ferme
et c'est Jésus qui l'ouvre
quand on arrive au ciel.

Matteo, 6 ans.

IL EST MONTÉ AU CIEL…

– Quand je serai grand, je serai Père Noël comme ça je ne serai jamais mort.

Jules, 4 ans.

Siobhan

Qu'est-ce qu'on dit ?...

Merci à Ineke pour m'avoir laissé prendre du temps sur notre vie de famille afin de me consacrer à ce livre.

Merci à Louis et Vincent pour m'avoir regardé « taper à l'ordi » plutôt que d'aller faire du vélo avec eux ou jouer à la plage.

Merci à leurs camarades de l'école maternelle de la Pie à Saint-Maur-des-Fossés (promotion 2006 !) pour les autoportraits qui illustrent ces pages.

Ma gratitude va à Christine Morel et à Kareen Perrin-Debock pour leurs conseils avisés et leur aide précieuse.

Ma reconnaissance à tous ceux qui m'ont raconté, dans un sourire ou un fou rire, ce que leur ont « sorti » leurs rejetons.

Avant tout, un grand merci aux enfants qui, s'ils nous donnent bien des soucis, nous apportent bien plus de bonheur ; et qui, in fine, constituent notre espérance.

Y a pas que les enfants des autres...

Nul doute que votre bout de chou, poète en herbe, dit, lui aussi, de belles choses. Vous vous promettez de vous en rappeler mais, pris dans le tourbillon couche-école-course-square-activités, vous finissez par oublier de les noter.

Pour entretenir ces beaux souvenirs, voici quelques pages blanches à remplir de ses premières paroles savoureuses et réjouissantes...

Et vous me raviriez en les partageant par courriel à l'adresse : lecaplain@jubii.fr !

Paroles et musique : Henri Dès. Extrait du disque n° 6 – Disques Mary-Josée No. 197120-2 pour « Le petit zinzin », « Camions ça fait prout », « Le grand frère et la petite sœur » ; extrait du disque n° 7 – Disques Mary-Josée No. 197121-2 pour « J'ai plus faim », « Grand-maman » ; extrait du disque n° 8 – Disques Mary-Josée No. 197122-2 pour « Les bêtises à l'école » ; extrait du disque n° 9 – Disques Mary-Josée No. 197123-2 pour « Un petit baiser » ; extrait du disque n° 10 – Disques Mary-Josée No. 197124-2 pour « La nature » ; extrait du disque n° 11 – Disques Mary-Josée No. 197125-2 pour « Mon nuage » ; extrait du disque n° 12 – Disques Mary-Josée No. 197137-2 pour « Jour de flemme », « Un éléphant », « Petite maladie » ; extrait du disque n° 14 – Disques Mary-Josée No. 198849-2 pour « Bébé d'amour », « J'sais pas » ; extrait du disque « C'est le Père Noël » – Disques Mary-Josée No. 198229-2 pour « Demain c'est Noël » ; extrait du disque « Polissongs » – Disques Mary-Josée No. 3017225-6 pour « Doux doudou », « Quand tu te moques », « Allô pépé ».

Avec l'aimable autorisation
des Éditions du Mille-Pattes

Conception et réalisation maquette intérieure :
Luc Doligez

Impression Bussière, octobre 2007
Editions Albin Michel
22 rue Huyghens, 75014 Paris
www.albin-michel.fr
ISBN 978-2-226-17925-8
N° d'édition : 24172 N° d'impression : 073400/4
Dépôt légal octobre 2007
Imprimé en France